# L'OUTRAGE FAIT À SARAH IKKER

YASMINA KHADRA

# L'OUTRAGE
# FAIT À SARAH IKKER

## Tome 1

*roman*

Julliard

© Éditions Julliard, Paris, 2019
ISBN : 978-2-260-05321-7
Dépôt légal : mai 2019

# 1.

Driss Ikker était à mi-chemin du coma éthylique lorsque le brigadier Farid Aghroub le découvrit dans la chambre 43 du Sindbad, un hôtel malfamé du vieux Tanger.

Driss était couché en travers du lit, complètement nu. À côté de lui ronflait une prostituée que Farid avait souvent coffrée, une fausse blonde à la poitrine tombante qui passait son temps à se soûler au bar, derrière la réception.

La chambre empestait la vesse, le tabac et le vomi. Une culotte traînait par terre, à côté d'un soutien-gorge effrangé et de bas qui avaient connu des jours meilleurs. Sur une chaise renversée s'entrelaçaient une chaussure éculée, un foulard berbère et une robe de bazar. Des bouteilles de vin vides traînaient çà et là au milieu d'une véritable porcherie.

Farid se pencha sur un cendrier débordant de mégots, en renifla un.

— Purée, du cannabis. Je vais dire quoi au patron, moi ?

Il vida le cendrier dans les cabinets, tira la chasse et retourna dans la chambre vérifier s'il n'y avait pas d'autres choses compromettantes à faire disparaître. Après s'être assuré qu'aucune seringue louche ou trace de poudre blanche n'avait échappé à sa vigilance, il s'occupa du dormeur. Il lui souleva un bras, le lâcha ; le bras retomba mollement dans le vide.

— Réveillez-vous, lieutenant. Ça fait des jours et des nuits que je vous cherche. Tout le monde se demande où vous étiez passé.

Driss émit un gargouillis.

— Va-t'en, laisse-moi tranquille.

— Désolé, j'ai pour mission de vous ramener mort ou vif. Sinon, c'est moi qu'on castrera au sécateur.

Driss tenta de remuer, ne parvint même pas à ouvrir les yeux. Un filament de salive ruissela sur sa pommette et pendouilla à son oreille.

Farid comprit qu'il perdait son temps. Les bouteilles d'alcool sur la moquette et le nombre de joints jetés dans les toilettes témoignaient de l'ampleur des dégâts.

Il sortit son portable et appela le secrétaire particulier du commissaire.

Au bout d'une interminable sonnerie, quelqu'un daigna décrocher :

— Ouais ?

— Bonjour, Slimane. Brigadier Aghroub à l'appareil.

— Qu'est-ce que tu veux encore, Farid ? On ne peut plus s'offrir deux minutes de répit sans t'avoir sur le dos ?

— J'ai retrouvé le lieutenant Ikker.

Silence au bout du fil, puis la voix du prénommé Slimane revint, cynique :

— Ne me dis pas que son cadavre est en décomposition avancée.

— Il est vivant, sauf qu'il ne paie pas de mine.

— J'suis pas esthéticien. Et puis, pourquoi c'est à moi que tu téléphones ?

— J'sais pas quoi faire.

— Et tu t'adresses à moi pour te coacher ?

— Le patron risque de péter un câble s'il voit son protégé dans cet état…

— Qu'il court-circuite la ville entière. Je m'en bats les couilles. Il t'a chargé de ramener cette chiffe molle, tu la ramènes, point barre.

— Je te dis qu'il est torché grave.

— Tant mieux. Ça évitera au patron de gaspiller une capote.

Farid sursauta lorsqu'on raccrocha sèchement au bout du fil. Il remit le portable dans sa poche, s'assit sur le rebord du lit pour réfléchir. Driss gisait à côté de lui, aussi encombrant qu'un cadavre.

— Faut toujours que ça tombe sur moi, maugréa-t-il en s'épongeant le front dans un mouchoir.

La prostituée gémit en se retournant sur le flanc. Le bout du drap qui la recouvrait glissa sur ses hanches, dévoilant des fesses grumeleuses que d'anciennes brûlures de cigarette ornaient de minuscules cratères noirâtres.

— Allez ouste, toi. La sieste est finie.

La prostituée se ramassa autour de ses genoux et s'apprêta à se rendormir.

— Rhabille-toi et disparais de ma vue, la somma Farid.

— J'suis crevée.

— Pas encore, mais ça ne saurait tarder si tu ne te casses pas.

La femme se frotta les paupières, regarda dans tous les sens d'un air hébété, s'attarda sur le corps désarticulé à côté d'elle et se mit à rire toute seule, comme une folle.

— Allez, allez, tire-toi, s'impatienta Farid en lui jetant la culotte à la figure.

— Il m'a pas encore payée.

— On dirait qu'il te reste encore quelques grammes de présence d'esprit.

La prostituée chercha un point d'appui pour se lever, n'en trouva pas et se recroquevilla sur elle-même.

— Bon, puisque tu préfères la manière forte…

Farid la saisit par les cheveux et l'extirpa hors du lit. Elle tomba lourdement sur la moquette pourrie. Son rire repartit de plus belle, guttural et dérangeant, rappelant le glouglou d'une bête en train de se noyer.

— Je te préviens, si tu finis au poste, je ferai en sorte qu'on t'y oublie pour un bon bout de temps, cette fois.

— Et mon fric ?

Il l'attrapa par les chevilles et la traîna jusque dans le couloir.

— Hé, j'suis pas une brouette, protesta-t-elle.

Farid revint dans la chambre ramasser les affaires de la prostituée, les jeta en vrac dans le corridor et referma la porte.

— Et maintenant, à nous deux, lieutenant.

Il ceintura le corps ramolli de l'officier, le porta dans la salle de bains, l'installa sous la douche et ouvrit le robinet.

Le combiné du téléphone coincé entre l'épaule et le menton, le commissaire Rachid Baaz, commandant la police de Tanger, parlait en se limant les ongles :

— C'est une excellente affaire, crois-moi. Une opportunité de cette nature ne se présente pas deux fois…

De son doigt, il pria le brigadier Farid Aghroub de patienter, sans l'inviter à prendre un siège. Le subalterne resta au garde-à-vous, ne sachant pas s'il devait faire la sourde oreille ou se rendre invisible. Beaucoup de ses collègues avaient été rangés au placard, mutés dans des coins perdus ou carrément relégués à des tâches ménagères pour des indiscrétions bien moins embarrassantes.

— Écoute, Max, tu as voulu mon avis, je viens de te le donner. Tu en fais ce que tu veux… C'est ça, réfléchis, mais ne m'en veux pas si un opportuniste te coupe l'herbe sous le pied… Bien sûr que tu peux compter sur moi. Embrasse Marie de ma part… Je ne manquerai pas… Ciao ciao.

Il raccrocha, médita une bonne minute avant de s'apercevoir que le brigadier était toujours là. Il croisa les pieds sur le bureau et lui lança un regard incendiaire.

— Où est-il?

— Dans la voiture, monsieur.

— Dans la voiture? Sa seigneurie exige que je lui déroule le tapis rouge? Ou peut-être veut-elle que je descende lui cirer les pompes?

— Il est trop ivre pour se présenter devant vous, monsieur.

— Dans ce cas, pourquoi le ramener ici? Pour que ses collègues s'apitoient sur son sort?

— Parce que vous me l'avez ordonné, monsieur.

— Tu as quoi dans le crâne? Du lait caillé? Si cet enfoiré est incapable de tenir sur ses jambes, pourquoi me le ramener ici? Tu as pensé à la réputation de l'institution?

— J'ai appelé Slimane pour lui dire que…

— Tu aurais dû m'appeler moi! hurla le commissaire. Tu as traversé toute la ville avec ce vaurien à tes côtés?

Farid serra les fesses pour contenir les contractions anales qui s'étaient déclenchées à l'instant où il avait franchi le seuil du commissariat.

— J'ai pris soin de l'allonger sur la banquette arrière, monsieur. Hormis l'agent en faction à l'entrée du parking, personne n'a vu qui je transportais.

Le commissaire le toisa un moment avant d'appuyer sur son interphone :

— Slimane, va voir dans quel état se trouve le lieutenant Ikker.

— Tout de suite, monsieur.

— Tu sais où il est ?

— Non, monsieur.

— Alors, pourquoi tu réagis au quart de tour ?… Il est sur le parking, dans la voiture du brigadier Farid.

— Bien, monsieur.

Le commissaire se leva et alla se planter devant la fenêtre donnant sur l'alignement de voitures. Il regarda son secrétaire se hâter vers une berline noire garée à l'écart.

Slimane ouvrit la portière arrière, se pencha à l'intérieur du tacot, puis il se releva et se tourna vers la fenêtre du troisième étage du Central en écartant les bras, signifiant ainsi à son supérieur que le cas du lieutenant Ikker était désespéré.

Le commissaire rejoignit son bureau et se laissa tomber dans son siège capitonné.

— Tu l'as trouvé où ?

Farid tenta de se donner une contenance.

— Je l'ai cherché partout, monsieur. À l'hôpital, dans les bars, dans les endroits où il avait ses habitudes, j'ai demandé à ses voisins…

— Pourquoi tu me racontes ta vie ? Tu crois que j'ai du temps à perdre ? Ma question est claire : où l'as-tu trouvé ?

Farid s'aperçut que ses mains moites tremblaient ; il les cacha derrière son dos.

— Dans un petit hôtel, du côté du vieux port, monsieur.

— Un hôtel de passe, je suppose ?

— Oui, monsieur.

— Alors dis «dans un hôtel de passe». Tu essayes de minimiser le naufrage de ton chef ou quoi ?

Le commissaire éprouvait un malin plaisir à pousser ses subordonnés dans leurs derniers retranchements. Il prenait ainsi pleinement conscience de l'étendue de son autorité. Il laissa le brigadier déglutir pendant dix bonnes secondes avant de se remettre à le harceler.

— Qu'est-ce qu'un respectable lieutenant de police foutait dans un boxon de merde ?

— Je l'ignore, monsieur. Je l'ai trouvé complètement défoncé. Il l'est encore. Il m'a fallu de l'aide pour lui faire prendre une douche, le rhabiller et le mettre dans la voiture.

— Sa femme est rentrée ?

— Je ne pense pas, monsieur.

— Je ne te demande pas de penser.

— J'ai fait un tour, hier, du côté de la résidence du lieutenant. Les volets de sa maison étaient fermés. Aujourd'hui, je n'ai pas eu le temps de vérifier. Une prostituée a reconnu le lieutenant sur la photo et m'a dit qu'elle l'avait vu à l'hôtel… de passe où elle bossait.

À cet instant, le secrétaire particulier du commissaire, Slimane Rachgoune, entra dans le bureau.

— Il est ivre mort, dit-il en portant sa main à sa bouche comme pour amortir ses propos. Sûr qu'il fait une dépression. À mon avis, il faut le confier d'urgence à un centre spécialisé.

— Et qui va payer la prise en charge ? fulmina le commissaire. La direction ne dépensera pas un centime pour cette fiotte. Le budget du ministère a été revu à la baisse, cette année, et notre devoir est de nous serrer la ceinture. Si moi j'ai décidé de renoncer à mes loisirs, tout le monde doit en faire autant.

Renoncer à ses loisirs, songea Farid. Tu parles d'un sacrifice. Monsieur mène un train de vie digne d'un pacha ; les grosses fortunes le submergent de cadeaux faramineux ; les nababs lui graissent la patte tous les jours ; il dispose d'un voilier, de deux villas, d'une grosse cylindrée aussi vaste qu'un paquebot, et il a le culot de parler d'austérité.

Slimane lissa sa moustache de flibustier pour réfléchir.

— De toutes les façons, patron, le lieutenant a besoin de soins immédiats. Je propose qu'on le confie au docteur El Fassi.

— Qui c'est, ce docteur El Fassi ?

— Un ami. Un type bien. Il gère une clinique privée à quarante kilomètres de Tanger, sur les collines. Un coin sympa et discret. Pour ce qui est des frais, je m'arrangerai avec lui.

— Et tu comptes t'y prendre comment ?

— Il a un dossier en instance chez le gouverneur. Une banale demande d'extension foncière. Et il a juste besoin d'un coup de pouce.

Figé dans son pathétique garde-à-vous, le brigadier regrettait d'être mêlé, malgré lui, à ce qui ne le concernait pas. Si le commissaire le terrifiait, Slimane lui inspirait un profond dégoût. Pourtant, ils avaient été très proches, au début. Le brigadier se souvenait parfaitement du jour où un jeune binoclard avec une tête de blaireau avait débarqué à Tanger, dix ans plus tôt. Il était arrivé dans une vieille Renault aux pare-chocs brinquebalants et aux pneus grossièrement rechapés. À l'époque, Slimane rasait les murs et baissait la tête lorsqu'il demandait son chemin. C'était un pauvre type que Farid avait protégé et hébergé chez lui les premières semaines. Le commissaire l'avait casé aux archives, une voie de garage où la recrue aurait rongé son frein jusqu'à la retraite anticipée si elle n'avait pas été bilingue et très instruite. Parce qu'il en avait marre des rapports bâclés de son ancien secrétaire, le commissaire, qui était en quête d'une belle plume, s'aperçut que Slimane jonglait admirablement avec les tournures de phrase et les mots qu'on ne trouvait que dans les dictionnaires aux épaisses couvertures moisies. Il le prit sous son aile et lui confia la gestion des dossiers confidentiels. Slimane ne tarda pas à se rendre compte que les scrupules ne concernaient que les nigauds. Il se passionna pour l'argent facile et s'appliqua à magouiller tous azimuts avec la bénédiction de son patron. On lui avait proposé plusieurs stages qui lui auraient permis de gravir les échelons, Slimane les avait tous refusés. Il n'avait besoin ni de galons ni de promotion. Il était très bien au fond de son petit cabinet de secrétaire, parfaitement à l'aise dans son rôle d'araignée de l'ombre, un doigt dans chaque rapine et une part dans chaque gâteau.

— Bon, dit le commissaire en jetant un œil à sa montre, j'ai d'autres chats à fouetter. Débrouillez-vous avec cet abruti d'Ikker. Téléphone à ton toubib et dis-lui qu'on a un étron à lui expédier sur-le-champ. Quant à toi, Farid, dès que tu auras déposé ton chef à la clinique, tu te rabattras sur sa maison pour me signaler le retour de Sarah. Je veux que tu m'appelles à l'instant où elle pose ses valises devant sa porte.

Sur ce, il fit pivoter son siège et entreprit de composer un numéro sur son portable.

## 2.

Slimane Rachgoune crut entendre fuiter une durite avant de s'apercevoir que c'était son téléphone qui vibrait. Il tendit instinctivement le bras vers la table de chevet, tâtonna dans le noir, renversa le réveil et réussit tant bien que mal à atteindre son portable.

— Monsieur Rachgoune ? demanda une voix de femme au bout du fil.

— Il est quelle heure, putain ? maugréa Slimane d'une voix ensommeillée.

— 7 h 42, monsieur.

— T'es qui ?

— Le docteur Fériel, monsieur.

— Connais pas. Pourquoi tu me réveilles de bon matin, un jour férié ?

— Le docteur El Fassi m'a chargée de vous appeler dès que le lieutenant Ikker aurait recouvré ses esprits.

— Tu aurais pu attendre 10 heures, ou midi, ou bien demain… On n'est pas en alerte.

— Je ne fais qu'exécuter les instructions, monsieur.

Slimane actionna une télécommande pour lever les stores de la fenêtre. Une lumière crue se déversa dans la chambre. Dehors, un ciel limpide annonçait une de ces journées éclatantes dont Tanger avait le secret.

— Il est comment, le lieutenant?

— Un peu déphasé, mais il se tient tranquille.

— Il a dit quelque chose?

— Qu'il a faim.

— Très bien. Gavez-le sans le quitter des yeux. Ne le laissez pas quitter la clinique. Sous aucun prétexte. S'il cherche à faire le malin, faites-lui une piqûre. Si ça ne le calme pas, assommez-le avec un extincteur.

— Vous êtes sérieux, monsieur?

— Essayez de le laisser filer, et vous verrez si je suis sérieux ou pas.

Il raccrocha. Sèchement.

Slimane se prépara une omelette qu'il engloutit debout dans la cuisine, ensuite il prit une douche avant d'enfiler un survêt et des baskets d'une blancheur immaculée. Une Rolex en exergue au poignet, il passa un bon quart d'heure devant la glace à se sourire et à mettre de l'ordre dans ses cheveux. Lunettes noires sur la figure et casquette de base-ball sur la tête, il extirpa sa voiture de sport du garage et fonça vers la sortie de la ville. Quand il atteignit le haut d'une colline, il se rangea sur le bas-côté et mit pied à terre. Tout en s'étirant au soleil, il contempla la ville que baignait une lumière splendide, le vieux port qui semblait narguer le détroit de Gibraltar. Tanger lui parut soudain aussi imposante qu'un Olympe et il se promit, en son for intérieur, d'en être, un jour, le dieu tout-puissant.

Le docteur El Fassi faisait les cent pas devant le poste de contrôle de sa clinique. En reconnaissant le bolide couleur canari de Slimane au bout de l'allée, il fit signe au gardien d'ouvrir la grille, attendit sagement que le secrétaire particulier du commissaire Baaz gare ses 370 chevaux sous le préau avant de le rejoindre. Il essuya ses mains manucurées sur sa blouse et saisit avec une obséquiosité fébrile les deux doigts que lui tendit le visiteur.

— Je ne pensais pas te trouver à ton poste un jour férié, lui lança Slimane.

— Je ne me permettrais pas d'être ailleurs quand tu honores mon centre de ta présence.

Slimane leva les yeux au ciel pour suivre le vol d'un rapace, se tourna vers le bois qui ceinturait la clinique, aspira goulûment l'air pur des hauteurs.

— Encore une marche et tu t'assiérais sur les genoux du Seigneur.

— C'est le meilleur endroit pour retrouver la forme, non ? dit le docteur. On est loin des tapages urbains et de la pollution. Si mon projet d'extension est validé, je construirai un sanatorium sur cette aile-là et des courts de tennis près du bosquet.

Slimane intercepta l'allusion cinq sur cinq.

Il tira un boîtier argenté de sa poche, y cueillit une cigarette. Le docteur lui présenta un briquet étincelant.

— Joli objet, admit le secrétaire.

— Il est en or massif.

— Ça doit coûter une fortune.

— Pas plus que ton sourire, mon ami. Tiens, il est à toi.

Slimane feignit de repousser le briquet d'une main confuse, mais pas suffisamment ferme pour dissuader le toubib d'insister.

— Je ne peux pas accepter, voyons.

— Prends-le, je t'assure. Ça me ferait plaisir.

— T'es sûr ?

— Et comment !

Slimane tourna et retourna le briquet entre ses doigts, s'attarda deux secondes sur une calligraphie gravée sur le couvercle.

— Y a ton nom inscrit dessus.

— Comme ça, tu te souviendras de moi chaque fois que tu t'en grilles une.

— Bon, si tu y tiens vraiment.

— J'y tiens *absolument*.

D'un geste de prestidigitateur, Slimane escamota le briquet dans une de ses poches et téta sa Camel avec une certaine désinvolture.

— Comment va notre lieutenant ?

— Bien. Il a mangé comme quatre, puis on lui a administré un sédatif.

— Il s'est agité ?

— Un peu. Il a exigé qu'on lui apporte du whisky. On lui a expliqué que son état ne le permettait pas. Il s'est mis à menacer les infirmières. Le médecin de garde a été obligé de faire intervenir les agents de sécurité.

Ils entrèrent dans le bureau du docteur El Fassi, un sanctuaire digne d'un prince qatari. Un tas de diplômes tapissaient les murs au milieu de grands portraits montrant le maître de céans ravi de poser aux côtés des dignitaires du régime chérifien, de rire aux éclats avec des stars hollywoodiennes en visite à Marrakech ou bien encore en train d'échanger une vigoureuse poignée de main avec le professeur Lagoubi, le plus prestigieux chirurgien du royaume. Mais tout ce folklore tape-à-l'œil n'impressionnait guère le supposé petit secrétaire du commissariat central. Slimane connaissait par cœur le dossier explosif de son hôte. Et El Fassi ne l'ignorait pas. Notre fringant toubib n'avait pas terminé ses études de médecine. Parce qu'il n'avait pas été fichu de réussir un seul module en trois ans de faculté à Casablanca, l'étudiant El Fassi s'était inscrit dans une obscure université cairote où les diplômes se négociaient au rabais. Fils d'un promoteur prospère, le jeune El Fassi n'eut aucun mal à obtenir les certificats dont il avait besoin avec, en guise de cadeau maison, des citations honorifiques que le plus futé des hackers ne saurait trouver sur la Toile. Le papa ayant des relations solides dans les hautes sphères, il réussit à acquérir vingt hectares de terre arable sur un site de rêve pour que son rejeton y déploie sa fameuse clinique.

À la clinique El Baraka («bénédiction» en arabe), on pratiquait toutes les opérations chirurgicales et on traitait n'importe quelle maladie. En toute légalité. La preuve, le gouverneur en personne y soignait ses hémorroïdes.

— Un café? proposa le docteur.

— Volontiers.

El Fassi sonna un planton qui rappliqua avant que son patron ait retiré le doigt du bouton, un plateau surchargé de friandises croustillantes sur les bras.

— Qu'as-tu fait de ton ancien larbin?

— Mourad?

— Le petit gars tout mignon avec un piercing au nez.

— Ben c'est lui, Mourad... Il est mort.

— Non?

— Malheureusement si. Il s'est noyé en mer en tentant de rejoindre l'Espagne. Il paraît que le glisseur sur lequel il avait embarqué s'est dégonflé au large. Le courant a emporté cinq des huit passagers. Le corps de Mourad s'est retrouvé dans les filets d'un chalutier, à moitié dévoré par les poissons.

— Quel gâchis, déplora Slimane. Je l'aimais bien, ce p'tit gars. Pourquoi il a voulu partir en Europe? À ma connaissance, ton personnel est bien payé.

— Ce sont des choses qui arrivent, mon ami.

Slimane avala d'une traite son café, toucha à peine aux pistaches et pria son hôte de le conduire auprès du lieutenant.

Dans le couloir qui menait au quartier des pensionnaires «agités», ils croisèrent deux infirmières sévèrement moulées dans leur blouse bleue. Slimane jeta un coup d'œil par-dessus son épaule pour les mater.

— Attention, Slimane. C'est une clinique sérieuse, ici.

— Je ne savais pas que tu étais pédé, mon lapin.

Le médecin émit un rire qui sonnait faux comme le clocher d'une église en terre d'islam. Issu de la vieille bourgeoisie conservatrice, El Fassi avait horreur des grossièretés. Si ça ne tenait qu'à lui, il ferait ses ablutions chaque fois qu'un malappris comme Slimane croisait son chemin, mais le petit secrétaire de bas étage avait des dossiers sur l'ensemble des notables de Tanger; il était raisonnable de l'avoir comme allié, quitte à en souffrir, plutôt que de l'avoir sur le dos.

Slimane savait que l'enfant choyé de papa ne supportait pas le langage ordurier des *plèbards*. Ce n'était pas par camaraderie qu'il en abusait. Fils d'un jardinier paumé, ayant connu les brimades gratuites et les humiliations une bonne partie de sa vie, Slimane nourrissait une haine implacable à l'encontre des héritiers racés. La crudité de ses propos était sa façon à lui de se venger de la morgue de ses anciens maîtres et de leurs cruels rejetons. Maintenant que la roue avait tourné, il éprouvait un malin plaisir à être grossier avec les nantis qu'il devinait à deux doigts d'imploser d'indignation et dont le stoïcisme de suppliciés consentants lui insufflait un sentiment d'impunité très proche de l'orgasme.

Ils s'arrêtèrent devant une baie vitrée donnant sur la pièce où Driss dormait, branché à un appareil sophistiqué. Slimane sourcilla en découvrant le brigadier Farid assis sur une chaise, à côté du lieutenant. Une colère soudaine lui empourpra le visage.

— Qu'est-ce qu'il fabrique ici, ce crétin ?

— Il ne l'a pas quitté une minute depuis qu'il nous l'a ramené, répondit El Fassi. Il m'a demandé s'il pouvait passer la nuit au chevet de son camarade. Je n'y ai pas vu d'inconvénient.

Slimane tordit un doigt pour sommer le brigadier de le rejoindre dans le couloir. Farid s'exécuta, sans empressement.

— Le patron est au courant ? lui demanda Slimane.

— On est jour férié et je ne suis pas de permanence, dit le brigadier d'une voix sourde.

— Tu as choisi de fêter quelque chose ici ?

— Je veille sur un ami.

Slimane rejeta la tête en arrière dans un rire aussi sec qu'une détonation de semi-automatique :

— Tu veilles sur un ami ? T'es médecin ? Infirmier ? Ou bien tu craignais qu'on coupe le sifflet à ton protégé pendant qu'il roupille ?

— Le lieutenant a besoin de se savoir entouré en ces moments difficiles.

— Comme c'est touchant. Tu comptes le materner longtemps ?

— Il a dépassé l'âge.

— Mais pas suffisamment pour pieuter sans que tu lui tiennes la main… Je peux savoir ce que tu lui trouves de plus par rapport à tes autres collègues que tu répugnes à fréquenter ?

— Je n'ai rien contre les autres.

— Tu bottes en touche, mon gars.

— Disons que j'ai un faible pour les flics intègres, et le lieutenant Ikker les incarne tous. Il est brave, honnête, compétent. Il ne triche pas, n'abuse pas de son autorité et il ne fait chier personne.

Slimane dodelina de la tête, de plus en plus agacé par le toupet du brigadier.

— Tu vas gentiment prendre tes jambes à ton cou et déguerpir d'ici sans te retourner si tu ne tiens pas à ce que le patron te pisse dessus. Il y a assez d'infirmières dans la clinique pour veiller sur ton flic *intègre*.

Farid pivota sur ses talons. Slimane le suivit jusque sur le parking pour le voir quitter la clinique.

— Espèce de petite crotte de rat, maugréa-t-il en s'allumant une cigarette.

— Je suis désolé si j'ai enfreint certaines règles, psalmodia le docteur El Fassi.

— On va pas se prendre la tête pour un moins-que-rien, l'apaisa Slimane. Je suis venu m'assurer que le lieutenant est entre de bonnes mains. Je ne sais pas ce qu'il a au juste, s'il est en dépression ou s'il fait seulement le con. Ça fait une semaine qu'il a disparu de nos radars. À un moment, j'étais persuadé qu'il avait mis fin à ses jours.

— Oui, mais personne ne m'a expliqué quoi que ce soit, Slimane. Pourquoi tu me l'as envoyé ? Pour une désintoxication, pour…

— Tout ce que j'attends de toi est de le garder le temps qu'il recouvre ses sens. Il n'est pas aux arrêts, ce n'est pas un camé, il n'a rien à se reprocher professionnellement, mais comme il est imprévisible, j'ai jugé prudent de ne pas le laisser livré à lui-même.

— D'accord, mais ça n'explique toujours pas pourquoi il est chez moi. Que dois-je faire avec lui ? C'est quoi, son problème ? S'agit-il d'un choc émotionnel, d'un accident de parcours, d'une mission qui aurait mal tourné ? Il faut que je sache à qui j'ai affaire.

Slimane écrasa sa cigarette sous son pied, souffla la fumée vers le ciel.

Il dit :

— Sa femme a été violée.

## 3.

Le lieutenant Alal Jay saisit le veilleur de nuit par la nuque et lui écrasa la figure contre le miroir sans tain.

— C'est bien lui, non?

À travers la vitre, on voyait un homme menotté sur une chaise métallique, le visage en sang et l'œil droit englouti sous un énorme œdème violacé.

— Je ne suis pas sûr, bredouilla le veilleur de nuit.

— Sans blague.

— Il faisait sombre.

— Écoute-moi bien, le menaça Alal. Personne ne t'a mis le couteau sous la gorge. L'inspecteur Brik t'a demandé si tu n'avais rien remarqué la nuit où Mme Ikker a été agressée chez elle, et tu as dit avoir vu un individu, qui correspond au signalement de celui qui est là-dedans, en train de courir en rasant les murs.

— C'est vrai, mais je peux me tromper sur la personne.

— Mais non, tu ne t'es pas trompé. Tu as dit que le type était chauve, Arslène l'est. Tu as dit que le type était grand et maigre, Arslène l'est. Tu as dit que le type boitait, Arslène boite. Il n'y a qu'un seul repris de justice à Tanger qui correspond à la description que tu nous as faite de l'agresseur, et c'est Arslène Lebben, le cambrioleur le plus crétin du royaume.

— J'ai pas bien vu son visage. J'ai pas dit, non plus, qu'il était chauve. J'ai dit qu'il était peut-être chauve ou bien qu'il portait un bonnet.

— Qu'est-ce qui te prend, aujourd'hui ? Tu te crois dans un magasin de chaussures à ne savoir quelle savate choisir ?

— C'est pas ça.

— Tu as peur ?

— Oui, j'ai peur de me tromper.

Le lieutenant lui écrasa de nouveau le front contre la vitre.

— Ne me fais pas ton saint, tête de nœud. C'est pas ta conscience qui te chiffonne puisque tu n'en as jamais eu. Si c'est ce voyou qui te fout les jetons, tu n'as rien à craindre. Il ne sait pas qui l'a dénoncé et je promets que tu n'auras pas à être confronté à lui. Tu valides ta déclaration et tu rentres chez toi. Personne ne reviendra t'importuner.

Le veilleur de nuit, un vieillard décharné qui nageait dans sa djellaba à la coupe discutable, regarda longuement le suspect avant de faire non de la tête :

— Je m'en voudrais d'envoyer ce garçon sur l'échafaud.

— Il ne sera ni pendu ni fusillé, je te le garantis.

— Pourquoi vous l'avez amoché comme ça ?

— C'est à cause de toi s'il est ici. Si tu n'es plus sûr, on va panser ses blessures et le renvoyer chez sa mère. Mais avant, tu seras obligé de lui présenter tes excuses de vive voix.

— Vous avez vu dans quel état vous l'avez mis ? Il ne me le pardonnerait jamais.

— Faut bien qu'il sache que tu nous as induits en erreur. On ne l'a pas tabassé juste pour se faire la main, voyons. Le Maroc est un pays de droit. Et nous sommes la police, au service du peuple. Ils écriraient quoi, les médias, s'ils s'apercevaient qu'on a bousillé à tort un pauvre bougre pour boucler une enquête qui n'avance pas ? Déjà qu'Amnesty International nous a dans le collimateur.

Le vieillard demanda à boire.

— On n'est pas à la cantine, lui dit Alal.

Le veilleur de nuit chercha un siège autour de lui car ses jambes menaçaient de se dérober. Il n'y avait ni banc ni tabouret dans la salle où quatre agents ventripotents arboraient une mine de molosses constipés.

— Si tu nous as menés en bateau, tu ne t'en tireras pas comme ça, l'avertit l'un d'eux. On est allés trop loin avec le suspect.

— Ouais, renchérit le plus trapu des quatre, il a au moins trois côtes fêlées et le nez cassé, ce pauvre bougre. Personnellement, j'oserai pas regarder mes gosses dans les yeux si le suspect est innocent.

— Moi non plus, fit le plus gros en agrippant son ceinturon avec hargne. On n'est pas des bourreaux, nous. On fait notre boulot, c'est tout.

— Si tu nous as menti, promit le quatrième agent en enfonçant un doigt dans la joue rugueuse du veilleur, c'est toi qui prendras la place du suspect. Et après, quand on t'aura esquinté dans les règles de l'art, on t'expédiera devant le juge pour dénonciation calomnieuse ayant porté de graves préjudices à un innocent.

Le vieillard dégoulinait de sueur sous sa lourde djellaba. Il regarda un à un les quatre agents, les trouva laids et dangereux, se tourna vers le lieutenant aussi impénétrable qu'une momie, revint sur le suspect.

— On n'a pas toute la journée, le pressa le lieutenant.

Le veilleur passa et repassa la main sur son visage froissé, leva les yeux au plafond qu'éclairait une ampoule grillagée puis, s'affaissant contre le mur, il s'entendit chevroter :

— Je crois que c'est lui.

— Tu crois ou bien t'en es sûr ?

— C'est lui, haleta le veilleur, sur le point de s'écrouler.

— Tu vois ? Ce n'est pas la mer à boire.

Drapé dans une sortie de bain pour convalescent, le lieutenant Driss Ikker prenait le frais sur une chaise longue dans le jardin. Il faisait beau ; un soleil printanier ornait le ciel tandis qu'une brise faisait bruire le feuillage alentour. Driss paraissait aller un peu mieux après les trois jours passés à la clinique. Il n'avait pas avalé une seule goutte d'alcool depuis son admission. Certes, ses cauchemars le rattrapaient la nuit, mais les piqûres qu'on lui administrait l'aidaient à dormir jusque tard dans la matinée.

Il était en train de fumer sa première cigarette de la journée quand un patient s'approcha de lui en catimini. Ce dernier portait un pyjama bleu assorti aux pantoufles, dotation des pensionnaires du Bloc C où étaient affectés les dépressifs.

— Une taffe ? dit-il, deux doigts sur la bouche en signe de manque de nicotine.

Le lieutenant lui tendit le paquet.

— Juste une taffe, précisa le patient.

— Prends une cigarette, tires-en une bouffée et basta.

— J'aime pas gaspiller.

Le lieutenant céda sa cigarette que le patient se mit aussitôt à téter jusqu'au filtre, avec avidité.

— Je croyais que tu ne voulais qu'une taffe.

— C'est pour ne pas gaspiller.

Le patient jeta le mégot par terre et le regarda se consumer, l'air d'assister à un tour de magie. Ses grandes oreilles décollées bougeaient d'une drôle de façon.

— La clope a rendu l'âme, décréta-t-il lorsque le mégot s'éteignit.

Le lieutenant Ikker préféra contempler le bosquet, un peu plus haut sur la crête.

— C'est vrai que t'es un gradé de la police ?

N'obtenant pas de réponse, le patient se mit à gratter frénétiquement une verrue sur son menton.

— J'ai été flic, moi aussi. Qu'est-ce que tu crois ? Que je connais pas la chanson ?

— …

— Pour tuer le temps, j'arrêtais pas d'enfermer les mouches dans des bouteilles à Sidi Brahim. Un coin perdu dans le désert. Même la mort ignore où ça se trouve, Sidi Brahim. Mon supérieur, le brigadier-chef Jouad, il attendait sa mise à la retraite depuis sept ans, et rien ne venait. Ni courrier ni notes de service. Pas la moindre petite inspection de routine. On se serait volatilisés dans la nature que personne ne s'en serait aperçu. Sidi Brahim ne figure même pas sur la carte. C'est peut-être l'au-delà, après tout.

— …

— Même les corbeaux et les chiens s'emmerdaient à Sidi Brahim. Il nous fallait nous occuper pour ne pas devenir dingues, le brigadier et moi. On s'est mis à voir des dissidents partout. Tu lis le journal, tu es suspect. Tu as une antenne parabolique à la maison, tu es suspect. Tu ne joues pas aux dominos au café, tu es suspect. On avait un tas de dossiers bidon sur les gens. Comme la hiérarchie s'en foutait, on ne savait plus quoi faire d'autre, le brigadier et moi.

Après avoir regardé prudemment autour de lui, il confia à voix basse :

— Un matin, on était au poste à se tourner les pouces quand le brigadier, comme ça, sans crier gare, a sorti son flingue et s'est fait sauter la cervelle. À ce jour, j'arrive pas à comprendre pourquoi il s'est tué de cette façon, le brigadier. Pourquoi il s'est tiré une balle dans la tête devant moi. Depuis, j'ai pété les plombs, qu'il a dit, le psy. On me soigne, mais j'arrive pas à oublier.

— Arrête d'embêter monsieur, le somma un agent de sécurité surgi de nulle part.

— J'embête personne, rouspéta le patient. Est-ce que je t'embête, *moulay* ? Je ne fais rien de mal. Je raconte ma vie. Faut bien que je raconte ma vie. Personne ne veut m'écouter, ici.

— Ça suffit, Mahmoud. Retourne au bloc, sinon je serai obligé de te signaler au major.

Le patient se leva à contrecœur et marcha vers une aile de la clinique en râlant et en donnant des coups de pied dans le vide.

L'agent de sécurité le suivit du regard jusqu'à ce qu'il eût disparu derrière une haie fleurie.

— C'est un asile d'aliénés, ici ? s'enquit Driss.

— Non, monsieur. C'est une clinique privée… Vous avez de la visite. Si vous ne voulez pas être dérangé, on demandera au visiteur de revenir un autre jour.

— Qui est-ce ?

— Un certain Farid. Il dit que c'est urgent.

— Fais-le venir.

— Bien, monsieur.

L'agent salua à la manière des militaires et s'éclipsa.

Quelques minutes plus tard, le brigadier Farid apparut, rouge comme une pivoine.

— Il m'a fallu ruer dans les brancards pour qu'on me laisse passer. Ce fumier de Slimane a donné l'ordre de ne laisser personne vous approcher.

— Quelle est cette urgence, Farid ?

— Comment allez-vous, d'abord ?

— Beaucoup mieux… Qu'est-ce qui t'amène, malgré les consignes draconiennes de Slimane ?

— On a arrêté le fumier qui a agressé votre épouse.

Le lieutenant bondit sur ses jambes, retomba aussitôt sur sa chaise, tel un épouvantail que l'on fauche. Farid comprit qu'il aurait dû y aller mollo ; son supérieur ne s'était pas tout à fait remis comme il le prétendait.

Après le départ de Farid, le lieutenant bascula dans une sorte d'hystérie. Il voulait quitter la clinique sur-le-champ. Le médecin dut le mettre sous sédatif. Le lendemain, à la première heure, Driss était debout à hurler comme un possédé. Il refusait de rester une minute de plus dans l'établissement. Le médecin fut obligé de faire appel à trois malabars pour le neutraliser. Driss était incontrôlable.

Il cognait à bras raccourcis sur ceux qui osaient l'approcher. Ses hurlements retentissaient d'un bout à l'autre des couloirs, angoissant les malades et les infirmières. La permanence appela à la rescousse le docteur El Fassi qui fut soulagé de ne constater que des dégâts matériels, et pas de blessés :

— Je signalerai votre déplorable conduite à M. Slimane, lieutenant.

— Je suis plus gradé que lui.

— S'il vous plaît, retournez dans votre chambre. Vous avez eu un choc émotionnel très brutal, hier.

— C'est à cause des saloperies que vous m'injectez. Je veux rentrer chez moi, tout de suite. Et n'essayez pas de lâcher vos molosses sur moi.

— Vous refusez d'entendre raison ? s'emporta El Fassi, à bout. Tant pis. Vous me signez une décharge et vous êtes libre.

Il s'empara d'une chemise cartonnée qu'une secrétaire tenait entre les mains et la tendit à l'officier de police.

— Mon personnel est témoin. Nous avons fait notre possible pour vous garder, mais vous avez refusé catégoriquement de poursuivre votre traitement chez nous. S'il vous arrive un problème, ou si vous rechutez, demandez à être évacué sur un autre centre hospitalier. Je décline toute responsabilité quant à ce qui pourrait advenir de vous.

El Fassi ordonna à son personnel de retourner à ses occupations, raccompagna le lieutenant jusqu'au parking où Farid attendait dans la voiture.

Il ne lui serra pas la main.

Quand la berline du brigadier s'éloigna, le docteur regagna son bureau en lâchant dans un crachotement dépité : « Bon débarras ! »

# 4.

Arslène Lebben était un voyou multirécidiviste que les geôliers du royaume considéraient comme un membre de leur famille tellement ils s'étaient habitués à le voir régulièrement derrière les barreaux. On le remettrait en liberté le matin qu'on le retrouverait en cellule avant la tombée de la nuit. Arslène Lebben était ainsi : il lui était inconcevable de déceler une fenêtre mal fermée sans l'enjamber. Trentenaire, père de deux gosses, il avait passé la moitié de sa vie en prison. Mais, cette fois, les choses semblaient tourner très, très mal pour lui : il était accusé d'avoir agressé l'épouse d'un officier de police. Il y avait tout un gouffre entre le traitement réservé à un vol et celui consacré à un viol, et Arslène était tombé dedans, pieds et mains liés. Il ne restait de lui qu'une carcasse broyée que le lieutenant Ikker découvrit avec horreur au sous-sol d'une sinistre annexe du commissariat central.

— Laissez-moi seul avec lui, dit Driss.

— Il est dangereux, l'avertit Alal. Il a essayé de désarmer un gardien.

— Je n'ai pas d'arme sur moi. Sortez tous, s'il vous plaît.

Alal ébaucha un rictus ; après avoir jeté un œil dédaigneux sur Driss, il ordonna à ses subordonnés d'évacuer la pièce.

— Toi aussi, lieutenant.

— Je te rappelle que c'est moi qui suis chargé de l'enquête, protesta Alal.

— Mais c'est moi le mari de la victime.

Alal renâcla deux longues secondes avant de quitter furieusement le cagibi réservé aux interrogatoires musclés.

Driss posa ses coudes sur la table qui le séparait du suspect, joignit les doigts sous le menton et se remit à considérer en silence le supplicié qui gardait obstinément la tête baissée.

— J'ai envie de t'arracher ce qu'il te reste de peau avec mes mains nues…

Arslène haussa les épaules :

— M'en fiche.

Sa voix n'était qu'un souffle flapi.

— Espèce de sale branleur.

— J'ai rien fait.

— Tu crois que tu vas t'en sortir en niant ?

— Je t'emmerde… J'ai toujours avoué quand on m'arrêtait. J'suis un voleur, pas un violeur. J'suis pour rien dans cette histoire.

— Tu as été formellement identifié.

— Vous bluffez, et ça ne marche pas avec moi. Quand je merdais, je le reconnaissais sans qu'on ait besoin de me tabasser. J'ai toujours assumé. Mais je n'avouerai jamais ce que je n'ai pas fait.

— Alal va te torturer jusqu'à ce que tu demandes qu'on t'achève.

— Vous aurez ma mort sur la conscience.

— C'est quoi, la conscience, mon gars ? Personne ici ne sait à quoi ça ressemble.

Le suspect s'essuya le nez sur son poignet. Il leva enfin les yeux sur Driss ; son regard manqua de briser le cœur du lieutenant.

— Pourquoi vous n'allez pas demander à mon oncle où j'étais cette nuit-là, hein ? Pourquoi ne pas vérifier vos informations au lieu de vous acharner sur un innocent.

— On a un témoin.

— Moi aussi, j'ai des témoins. J'étais au dispensaire Er-Rahma, la nuit du 8 au 9 avril. Mon gosse avait 40 degrés de fièvre. Il voyait des araignées partout. Je ne pouvais pas être ailleurs pendant que mon gosse délirait. Mon oncle était avec moi. C'est lui qui nous avait transportés en urgence au dispensaire. Il y a aussi l'infirmière, et le médecin. Ils sont restés au chevet de mon fils jusqu'aux aurores. Ils vous diraient que j'étais avec eux.

— On a vérifié, dit Alal en rentrant dans le cagibi. On leur a montré ta photo et ils disent qu'ils ne t'ont jamais vu.

— Menteur. L'infirmière, c'est une cousine. Elle porte le même nom que moi… Votre témoin dit m'avoir vu fuir dans une voiture. J'ai pas de voiture. J'ai même pas le permis de conduire.

— Il n'a pas dit que c'est toi qui conduisais.

— Donc, j'ai un complice. Où est-il?... Je ne vous laisserai pas me coller cette histoire sur le dos. Je suis un voleur et je n'ai jamais mis les pieds dans une maison sans m'assurer que personne ne se trouve à l'intérieur.

La présence d'Alal indisposait Driss. Il n'aimait ni ses méthodes ni le son de sa voix. Il le savait incompétent, dépourvu de jugeote et expéditif, capable d'envoyer un suspect devant le peloton d'exécution afin de retourner *illico presto* à ses petites rapines.

Il se leva.

— Tu en as déjà fini avec lui? feignit de s'étonner Alal.

— Je suis claustrophobe, ironisa Driss.

Avant de s'en aller, il jeta un dernier regard sur le suspect et dit au lieutenant chargé de l'enquête :

— Essaye de moins utiliser la matraque et rappelle-toi que tu as une tête pour réfléchir.

— Je connais mon métier, rétorqua Alal.

— Mais tu ne connais pas tes limites.


Le brigadier Farid fumait derrière son volant. Quand il vit Driss sortir du poste de police, il écrasa son mégot dans le cendrier et fit tourner le moteur. Le lieutenant se laissa tomber sur le siège du passager, l'air dégoûté.

— Alors?

— Alors quoi ?
— Vous avez vu le suspect ?
— Seulement ce qu'il en reste.
— Il a avoué ?
— Non… On va au dispensaire Er-Rahma.

Le petit établissement de santé Er-Rahma se terrait au fond d'une impasse, dans le vieux quartier d'Ibn Battouta que des artistes tentaient de lifter à coups de fresques peintes à même les façades des maisons afin de tempérer l'urbanisme sauvage en train d'asphyxier la ville. Les ruelles grouillaient de mioches. Un chahut festif saturait l'espace tandis que des colporteurs ruisselants de sueur se dépêchaient de rejoindre leurs dépôts dans un slalom époustouflant.

Farid s'esquinta la paume sur le klaxon pour se frayer un passage dans la cohue.

Driss salua au passage un vendeur de babouches qui se dressa d'un coup en décrivant de larges arcs avec ses bras comme s'il faisait des adieux à tout un contingent en partance pour la guerre.

Farid trouva une place où se garer et se dépêcha de contourner le devant de sa berline pour ouvrir la portière de son passager qui coinçait de l'intérieur. Avant de se diriger sur le dispensaire, Driss alla d'abord se faire servir une tasse d'eau parfumée à l'huile de cade auprès d'un porteur d'eau qui interpellait les badauds en agitant ses clochettes.

L'infirmière, Mlle Lebben, était catégorique. Son cousin Arslène avait passé la nuit en question au chevet de son fils terrassé par une forte fièvre.

— Tu es sûre que c'était dans la nuit du 8 au 9 avril?

— Absolument. C'était le week-end, et j'étais de garde. Arslène et mon père sont arrivés vers minuit avec le petit Saïd. Ils sont restés jusqu'aux aurores, là, assis sur ce banc dans le couloir. Le docteur Brahim vous le confirmera.

— Il est où?

— Il est sorti s'acheter un casse-croûte.

— La police est venue vous interroger?

— Non, personne n'est venu nous interroger... Tiens, voilà le docteur Brahim qui revient. Demandez-le-lui.

Le docteur Brahim se souvenait parfaitement d'avoir soigné le petit Saïd dans la nuit du 8 au 9 avril, de minuit à 4 heures du matin. Il connaissait Arslène pour l'avoir reçu plusieurs fois dans son cabinet. Par ailleurs, il certifia qu'aucun enquêteur n'était venu l'interroger.

— Écoutez, lâcha le veilleur de nuit dans un soupir qui en disait long sur son ras-le-bol, si mon employeur apprenait que la police est encore venue me persécuter, il me foutrait à la porte. J'ai déclaré avoir vu un homme courir, cette nuit-là, vers une voiture rangée en bas de la rue. Je suis incapable de vous dire s'il avait la tête rasée ou s'il était chauve. Il boitait, c'est certain. Il était grand et maigre.

— Et ça t'a suffi pour identifier le suspect ? glapit Farid.

— Je n'ai identifié personne. On m'a conduit au poste pour me montrer une personne que je ne connaissais ni d'Ève ni d'Adam. Le lieutenant m'a dit que le seul repris de justice qui répondait à la description que j'avais fournie à la police était le pauvre gars qui saignait derrière la vitre, sous mes yeux. On l'avait tellement bousillé que j'en culpabilise encore. J'ai dit que je n'étais pas sûr. Ils m'ont forcé la main.

— Tu l'as vu s'enfuir à bord d'une voiture ?

— J'ai dit que j'ai vu quelqu'un s'enfuir à bord d'une voiture.

— Quel genre de voiture ?

— Elle était garée trop loin.

— Il est monté de quel côté, le fuyard ?

— Côté conducteur.

— Il y avait quelqu'un d'autre à bord ?

— Je ne pouvais pas tout voir d'ici.

Driss, qui jusque-là écoutait sans intervenir, se racla la gorge comme s'il sortait d'un profond sommeil. Il secoua la tête, fit courir son regard sur la façade de la belle villa puis, laissant le vieillard reprendre son souffle, il lui demanda :

— Il était quelle heure ?

— Autour de 2 heures du matin.

— Peux-tu être moins approximatif ?

— Je me rappelle, l'horloge murale, dans le salon, avait sonné deux fois quelques minutes avant.

— Et tu étais où?

— Sur la véranda, là. Je fumais.

— Et tu as entendu sonner l'horloge à partir de cet endroit.

— Oui, monsieur.

— Et c'est à cet instant que tu as vu un homme qui courait?

— Oui, monsieur.

— De la véranda, tu as un angle de vue assez ouvert pour suivre le coureur jusqu'en bas de la rue?

— Non, je suis descendu jusqu'à la grille. Je voulais savoir pourquoi il courait ou s'il était pourchassé.

— Que s'est-il passé avant?

— C'est-à-dire?

— Exactement ce que ça veut dire. Tu fumais sur la véranda aux alentours de 2 heures du matin. Tu entends quelqu'un courir. Et avant, il s'est passé quoi?

— Rien. C'était le calme plat.

— Tu n'as pas entendu une voiture monter ou descendre la rue moins d'une petite demi-heure avant?

— Non.

— Parce que tu étais à l'intérieur de la maison?

— J'ai pas le droit d'entrer dans la maison en l'absence de mon employeur.

— Tu es donc resté toute la nuit sur la véranda.

— C'est ça.

— Et tu n'as pas vu passer une voiture entre 1 h 30 et 2 heures ?

— Non, monsieur.

— Tu es sûr ?

— Et certain, monsieur.

Driss dodelina de la tête en tirant les lèvres.

Le vieillard comprit que le lieutenant avait détecté une faille dans ses déclarations. Il porta un regard aux abois sur Farid qui affichait un air impénétrable.

— Je vais te dire une chose, bonhomme, l'accula Driss. Tu étais sans doute en train de ronfler sur la véranda entre 1 heure et 2 heures du matin. Parce que juste avant 2 heures, j'avais personnellement remonté la rue dans ma voiture pour rentrer chez moi.

Le veilleur de nuit leva les mains pour calmer le lieutenant.

— C'est vrai, je somnolais. Mais je jure avoir été réveillé par les deux coups de l'horloge.

— C'était peut-être trois coups, ou quatre.

— Non, parce que je ne me suis plus assoupi après. Et j'ai bien vu quelqu'un descendre la rue en courant. Je me suis approché de la grille pour voir ce qui se passait et j'ai vu l'homme en question monter dans une voiture et démarrer en trombe. Je le jure sur le *Mes'haf*. Je n'avais aucune raison d'inventer cette histoire. On ne serait pas en train de m'accabler, aujourd'hui. J'ai seulement dit à la police ce que j'avais vu. Je le jure, je le jure, je le jure…

Driss le menaça du doigt.

— Le faux témoignage est un crime comme les autres, méfie-toi.

— Sur la vie de mes enfants que je dis la vérité.

Driss regagna la berline et ordonna à Farid de l'emmener à la maison.

Quand ils arrivèrent devant la demeure qu'un muret variqueux ceinturait, Driss n'osa pas descendre de voiture. Il resta un long moment à considérer les volets clos, la porte en chêne qui semblait contenir tous les malheurs du monde, la boîte aux lettres débordant de réclames. Respirant un grand coup, il dit sourdement :

— Emmène-moi à l'hôtel.

— Vous n'allez pas remettre ça, objecta Farid. Qu'est-ce que vous comptez faire à l'hôtel ? Vos dix jours de naufrage ne vous ont pas suffi ?

— Je serais beaucoup plus malheureux chez moi.

— À votre place, j'irais chercher ma femme au lieu de me défoncer.

— Tu n'es pas à ma place. Et puis, qu'est-ce que tu y connais, toi, aux femmes ? dit le lieutenant sur un ton énigmatique.

Il alluma une cigarette. Sa main tremblait. Il aspira une profonde bouffée et lâcha dans un filet de fumée :

— Je ne souhaiterais à personne d'être à ma place.

Ses mâchoires roulaient dans sa figure à la broyer.

Il se tourna vers le brigadier, un rictus bizarre sur les lèvres, lui tapa légèrement sur la joue, condescendant.

— Les femmes sont un mystère abyssal, mon pauvre agneau. Plus tu crois les percer, moins tu y vois clair.

— Regardez les choses en face, patron. Ça aurait pu être pire. Vous étiez censé passer le week-end à Casablanca. Imaginez ce que le cambrioleur aurait fait de votre épouse si vous n'étiez pas rentré plus tôt que prévu. Votre femme a eu la vie sauve grâce à vous. C'est le Ciel qui a voulu que vous rentriez plus tôt que prévu cette nuit-là. Maintenant, Il attend que vous sautiez dans votre voiture et que vous rameniez votre femme. Elle est sans doute en train de dépérir chez ses parents, inconsolable et inquiète pour vous.

— Le Ciel n'y est pour rien dans l'histoire des couples, mon gars. Occupe-toi plutôt de tes oignons.

Farid n'insista pas. Quelque chose lui échappait dans les étranges propos du lieutenant. Ce dernier avait l'air de garder pour lui une vérité plus accablante que celle que tout le monde croyait connaître.

Le lieutenant Alal était en train de s'empiffrer chez un gargotier de la médina lorsque son téléphone vibra dans sa poche. Lorsqu'il reconnut son interlocuteur dont le nom s'était affiché sur l'écran de portable, il rugit :

— Ouais ?

— C'est l'inspecteur Brik.

— Je sais, imbécile. Qu'est-ce qui se passe ? Le suspect a fini par clamser ?

— Bien au contraire, le lieutenant Driss vient de le relâcher.

— Quoi ?

Son cri de bête électrocutée pétrifia l'ensemble des clients qui déjeunaient autour de lui.

# 5.

Il était midi pile, en ce jour béni du 8 avril. Le lieutenant Driss sirotait une bière dans le petit jardin potager de sa maison, en attendant que sa femme mette la table. C'était une belle journée de fin de semaine. Les oiseaux voltigeaient dans un ciel magnifique arborant son soleil comme un tirailleur sa médaille de héros.

Sarah était conviée, le soir, à une réception intime que donnait la chanteuse Wafa chez elle.

Driss prévoyait de passer la soirée chez son ami Malik Bahri. Il y aurait des potes, un barbecue sur la plage et de la bonne rigolade. Le lieutenant était en train de penser à tout ça quand Slimane Rachgoune l'avait appelé sur son portable :

— Désolé de devoir te solliciter un samedi, Driss. Le patron est invité à la fête que donne Moulay Zarhoun à Casablanca, ce soir, mais il ne peut pas s'y rendre à cause de son nerf sciatique qui le cloue au lit. Ça te dirait de le représenter ?

La presse marocaine ne parlait que des fiançailles de Lalla Nour, la benjamine de Moulay Zarhoun. Les hautes autorités du royaume allaient se bousculer au portillon. Pour le lieutenant Ikker, c'était l'occasion de se donner une visibilité dans la cour des grands. Une rencontre avec un ministre ou un ponte pourrait booster sa carrière.

Il accepta volontiers de jouer les doublures.

— Parfait, dit Slimane. Tu viens de me retirer une sacrée épine du pied. Je ne voyais pas qui d'autre pouvait représenter dignement le patron. J'appelle tout de suite l'hôtel Le Sebou pour te réserver une chambre. C'est un excellent établissement à quelques pas de la salle Ez-Zouhour où se tiendra la cérémonie.

Driss était aux anges.

Après le déjeuner, auquel il toucha à peine tellement il était pressé de se rendre à Casablanca voir de près les seigneurs du royaume, il prit une douche, se rasa, enfila son plus beau costume acheté dans une boutique de luxe à Paris. Pendant qu'il se parfumait devant la glace, Sarah se blottit contre son dos et lui passa ses bras de houri autour de la taille.

— Emmène-moi avec toi.

— Impossible, mon amour. Les places sont comptées et je ne fais que représenter le commandant de la police de Tanger.

— S'il te plaît…

— Tu sais très bien que ça ne dépend pas de moi. Si ça ne tenait qu'à moi, je t'offrirais le paradis et les anges qui vont avec… Et puis, tu es invitée chez la diva Wafa.

— Je me décommanderai.

— Ce ne serait pas une bonne idée.

Elle n'insista pas.

— J'ai mis ton costar bleu, deux chemises, deux caleçons, des chaussettes, une cravate et ta trousse de toilette dans ta valise. Tu veux autre chose ?

— Non, merci. Ça suffira.

Elle se glissa sous son aisselle pour se mettre en face de lui, se souleva sur la pointe des pieds et l'embrassa tendrement sur la bouche.

— Tu vas me manquer, chéri.

— Tu ne te rendras même pas compte de mon absence, ma gazelle. Demain, à la première heure, je serai de retour.

Elle l'accompagna jusqu'au garage, l'aida à mettre la valise dans le coffre de la voiture, l'embrassa de nouveau et le regarda partir en lui faisant au revoir de la main.

Ikker arriva à Casablanca vers 17 h 30. Il se rendit directement à l'hôtel Le Sebou. Pendant qu'il se faisait enregistrer à la réception, quelqu'un lui posa la main sur l'épaule. C'était son beau-père, Abderrahmane Chorafa, l'intraitable directeur de l'école de police de Kénitra.

— Qu'est-ce que tu fabriques à Casa, mon garçon ?

— Je suis là pour les fiançailles de Lalla Nour.

— Eh bien, moi aussi. Comment tu as fait pour figurer sur la liste des invités ? Je connais un tas de grosses pointures qui ne seront pas de la fête.

— Je remplace le commissaire Rachid Baaz.

— Je m'en doutais un peu. (Il consulta sa montre.) J'ai encore cinq minutes devant moi. Je t'offre un café ?

— Avec plaisir.

Driss chargea un domestique de porter sa valise dans sa chambre.

Son beau-père le conduisit au bar de l'hôtel, commanda un expresso pour son gendre et un allongé pour lui.

— Sarah m'a dit que ça se passe très bien pour vous deux à Tanger.

— C'est vrai. Le commissaire Baaz nous gâte.

— Comment va-t-il, ce vieux briscard ?

— Très bien. Il ne parle que de vous. Il a une véritable vénération pour votre personne.

— Je l'avais eu sous mon commandement, il y a une douzaine d'années. C'était un garçon un peu spécial, mais je l'appréciais beaucoup. Il avait de l'ambition et du caractère. Un flic comme je les aime.

— Il vous le rend bien. Il dit que sans vous, il aurait gâché sa vie.

— Il n'exagère pas. Sans moi, il serait montreur d'ânes dans un souk perdu de son Essaouira natal. (Il attendit que le serveur pose les deux tasses de café sur la table et se retire avant d'ajouter :)

Rachid est passé à deux doigts de la trappe. Il avait merdé grave. Très, très grave. Le conseil de discipline allait le radier du corps de police et de l'ensemble de la fonction publique. J'ai dû intervenir pour sauver sa tête. Je me suis débrouillé pour le mettre sur une voie de garage le temps qu'il se fasse oublier, puis je l'ai remis sur les rails et c'est grâce à moi s'il chapeaute aujourd'hui la police de Tanger.

— Je comprends maintenant pourquoi il nous traite comme des privilégiés, Sarah et moi.

Le beau-père consulta sa montre, avala son allongé et s'excusa de devoir fausser compagnie à son gendre :

— Désolé de devoir te laisser, Driss. J'ai rendez-vous avec le ministre.

— Je vous en prie.

— On se voit à la cérémonie.

La célébration des fiançailles de Lalla Nour était fixée à 20 heures. Le lieutenant avait du temps à tuer devant lui. Il décida de piquer un petit somme réparateur afin de profiter pleinement de la fête. Il monta dans sa chambre, se déshabilla, rangea soigneusement son costume et sa chemise et s'allongea sur le couvre-lit. Il actionna la télécommande pour allumer la télé, baissa un peu le son et se laissa bercer par la voix d'une speakerine vantant les splendeurs d'Agadir.

De grosses cylindrées étincelantes déversaient leurs précieux passagers devant la cour gazonnée de la salle des fêtes où s'agglutinait déjà la crème du royaume chérifien. Notables, nababs, célébrités et coqueluches locales faisaient la queue devant l'entrée du sanctuaire, les uns entourés de dames ruisselantes de bijoux, les autres serrant de près des jeunes femmes tout droit sorties d'un défilé de mode.

Driss se demanda si son costume Cerruti était authentique tellement il avait l'air d'un plouc endimanché au milieu des prestigieux convives. Il patienta dans la chaîne remuante jusqu'à son tour.

Le monsieur aux allures de croque-mort, qui tenait la liste des convives, repoussa ses lunettes contre son front et dit, obséquieux et ferme à la fois :

— Désolé, je ne vois pas votre nom.

— Je représente le commissaire Rachid Baaz, commandant la police de Tanger. Il a eu un empêchement.

— Les invitations sont nominatives, monsieur.

— Je ne suis pas venu de mon plein gré et je n'ai pas parcouru la moitié de la côte pour qu'on me claque la porte au nez.

— S'il vous plaît, monsieur, il y a du monde qui attend.

— Je veux voir votre chef.

— Vous êtes dur d'oreille ou quoi ? lui fit un Noir sapé comme un roitelet de la brousse. On vous dit que les invitations sont nominatives.

Vous ne figurez pas sur la liste, vous dégagez la voie. On ne va pas y passer la nuit.

Le «croque-mort» fit signe à deux armoires à glace en faction devant la grille. Driss préféra battre en retraite. Il rentra à l'hôtel, fou furieux, remballa ses affaires et remit la clef de sa chambre à la demoiselle de la réception. Avant de sauter dans sa voiture et de mettre le cap sur Tanger, il commanda deux doigts de cognac au bar pour noyer le feu qui brûlait en lui.

Driss arriva chez lui vers 1 h 45. Il laissa sa voiture dans la rue. Le portail du garage grinçait fort et Driss ne voulait pas réveiller sa femme. Il ouvrit la porte de la maison sans faire de bruit, posa sa valise dans le vestibule. Au moment où il s'apprêtait à accrocher ses clefs à la patère, il entendit un gémissement étouffé. Sarah avait l'habitude de suffoquer dans son sommeil, à cause de ses allergies.

— Chérie, c'est moi, je suis rentré.

Il gravit l'escalier en dénouant sa cravate. La porte de la chambre à coucher était ouverte. Une lampe était allumée sur la table de chevet. Driss manqua de tomber à la renverse en découvrant sa femme toute nue, allongée à plat ventre sur le lit. Elle avait les mains menottées à la tête de lit, quelque chose de noir sur la bouche et un bandeau sur les yeux. Driss n'eut pas le temps de comprendre, encore moins de réagir. Un violent coup s'abattit sur son crâne et il tomba par terre, sans connaissance.

# 6.

— Qu'est-ce que c'est que cette histoire ? rugit le commissaire en frappant de son poing sur une rame de papier.

En pénétrant dans l'imposant bureau du commissaire et en voyant le lieutenant Alal renfrogné dans un fauteuil et le secrétaire Slimane debout près de la fenêtre, les bras croisés sur la poitrine, Driss comprit qu'il allait recevoir le ciel sur la tête. Mais il était décidé à en découdre. Le malheur, qui l'avait frappé de plein fouet, réduisait en poussière toutes ses petites peurs de subalterne. On avait violé sa femme. On avait ruiné son honneur. Aucune autre disgrâce ne le briserait autant.

Driss ne se détourna pas lorsque le manitou le foudroya du regard.

— Il n'y a plus d'autorité ou quoi ? Qu'est-ce que ça veut dire, hein ? Que tu emmerdes le monde, monsieur Jemenfous ?

Driss toisa d'abord Alal qui paraissait jubiler intérieurement, puis Slimane qui faisait celui qui était là par hasard et ensuite, il se tourna vers le patron :

— Peut-on m'expliquer ce qui se passe ?

— Tu ne serais pas en train de te payer ma tête, lieutenant Ikker ?

— Pas du tout, monsieur.

— Qui t'a permis de libérer le suspect ?

— Il n'y est pour rien.

— Ce n'est pas l'avis du lieutenant Alal.

— Alal n'a pas plus de cervelle qu'une tête de pioche. Son avis, c'est de la foutaise. Ce qu'il a manigancé avec le veilleur de nuit a un nom : ça s'appelle subornation de témoin.

Alal bondit sur ses pieds.

— C'est pour nous rappeler que tu as un master en droit que tu fais du zèle ?

— Couché ! lui hurla le commissaire.

Alal renâcla comme un canasson, la figure tressautant de tics, les poings vibrant de rage.

— Il n'a pas à parler de moi de cette façon, s'insurgea-t-il. Je demande la permission de rejoindre immédiatement mon poste.

— Fous le camp, lui ordonna le commissaire.

Alal jeta un regard ténébreux sur Driss et quitta le bureau. On l'entendit bousculer un agent dans le couloir.

— Toi aussi, dit le commissaire à Slimane. Et ferme la porte derrière toi.

Le secrétaire s'exécuta.

Le commissaire se détendit un peu tout en gardant son air de pitbull.

— Qu'est-ce qui t'a pris de relâcher dans la nature le seul suspect qu'on avait sous la main ?

— Ce n'était pas le bon.

— Il était à deux doigts d'avouer.

— Il aurait avoué n'importe quoi sous la torture. Alal s'est adjugé le premier voyou sur son chemin. Sans se donner la peine de vérifier ses informations. Moi, j'ai vérifié. J'ai des témoins qui ont une tout autre version. La nuit de l'agression, Arslène Lebben était dans un dispensaire, avec son oncle et son fils qui avait 40 de fièvre. Alal ne s'est même pas donné la peine d'interroger le médecin ni l'infirmière qui s'étaient occupés du gamin. Moi, si.

— N'empêche, tu n'avais pas à le libérer comme ça, de ton propre chef. Je suis le boss, ici. C'est à moi que reviennent les décisions. Tu as agi comme si on était dans une foire où chacun fait ce qu'il veut. Dans un sens, tu as porté préjudice à mon autorité.

— Ce n'était pas dans mes intentions.

Le commissaire se prit les tempes à deux mains avant de lâcher :

— Ils vont penser quoi tes collègues si je ne te sanctionne pas ?

— Sanctionnez-moi.

— Est-ce que je ne t'ai pas ménagé depuis que tu as été muté chez moi ?

— Énormément, monsieur, et je vous en remercie.

— Tu crois que tes camarades ne l'ont pas remarqué?

— Ils l'ont remarqué.

— Pourquoi me pousser à bout?

— Je veux juste que vous me confiiez l'enquête.

— Impossible.

— Puis-je savoir pourquoi?

— C'est le règlement, et tu le connais par cœur. La victime est ta femme. La charge émotionnelle pourrait fausser la bonne conduite de l'enquête.

— Ce n'est pas avec un bras cassé comme Alal qu'on a des chances d'aboutir à quelque chose. Il n'a pas l'air de se rendre compte de la gravité de la situation. Pour lui, c'est un fait divers comme un autre. Il ne lui accorde aucun traitement conséquent. Comme le courant ne passe pas entre nous deux, il ne se sent pas obligé de fournir d'effort.

— Qu'en sais-tu? C'est à peine si tu sors de tes beuveries.

— L'agresseur a certainement laissé une empreinte et des traces de son ADN chez moi. Ma femme était menottée, bâillonnée et avait un bandeau autour de la tête. Où sont passées ces pièces à conviction? Je les ai vues de mes propres yeux. Comment se fait-il qu'elles aient disparu?

— L'agresseur les a certainement emportées avec lui.

— Admettons. Mais il ne pouvait pas tout emporter. Il a sans doute laissé des indices après son forfait. Que fout la police scientifique?

— Que veux-tu qu'elle fasse ? Ton beau-père est venu chercher sa fille à l'hôpital le matin à la première heure et toi, tu t'es volatilisé. On n'allait tout de même pas défoncer la porte de ta maison.

— Il y avait toute une équipe autour de moi quand j'avais repris mes esprits. Qu'a-t-elle relevé ? Et puis, qui avait alerté la police ? Ma femme et moi étions sans connaissance quand les premiers agents ont débarqué chez moi.

— C'est toi qui as appelé la permanence du commissariat central, Driss.

— Ce prétendu appel ne figure pas sur mon portable.

— Tu as utilisé le téléphone fixe de ton domicile.

— Comment se fait-il que je ne m'en souvienne pas ?

— C'est tout à fait normal. Tu as reçu un sacré coup sur la tête. Tu as dû reprendre une partie de tes esprits pendant quelques secondes, le temps d'alerter la permanence, avant de sombrer de nouveau. Le standardiste est catégorique.

Driss ne l'écoutait plus.

Il contempla vaguement le portrait du roi par-dessus la tête du commissaire puis, son regard recouvrant son acuité, il s'enquit :

— Que dit le médecin légiste ?

— Tu te doutes bien que c'est la première chose à laquelle on a pensé. Mais aucune trace de sperme. L'agresseur a utilisé des préservatifs. Mais, fais-moi

confiance, nous le coincerons. Je lui trancherai
moi-même la bite avec mon coupe-cigare.

Le commissaire contourna son bureau et vint
saisir Driss par les épaules.

— Assieds-toi, s'il te plaît. Tu es encore en état
de choc. Tu aurais mieux fait de rester quelques
jours de plus à la clinique. Tu es écartelé entre la
colère et l'impuissance, et tu t'infliges un mal de
chien. Je sais combien tu aimes ta femme, mais
ce n'est pas en te shootant à tort et à travers que tu
vas nous aider à mettre le grappin sur le fumier qui
nous a fait du tort à nous tous, à Sarah, à son père,
à sa famille, à toi, et à moi. Tu ne peux pas imaginer la honte qui me dévore encore, Driss. Je n'ai
pas osé rejoindre M. Chorafa à l'hôpital où sa fille
avait été évacuée. Il a tellement fait pour moi.
J'enrage que sa fille se soit fait agresser dans
ma circonscription. Si la terre s'était ouverte, ce
matin-là, je n'aurais pas hésité à plonger dedans.
Sarah était comme ma fille. Je te promets de ne
ménager aucun effort pour retrouver le chien qui a
osé porter la main sur elle.

— Ce n'est pas l'impression que j'ai.

— J'ai mis mes meilleurs hommes sur l'affaire.
Alal est un flic efficace…

— Tu parles d'un foudre de guerre.

— Ne le sous-estime pas. Il est un peu brouil-
lon, mais il ne revient jamais bredouille. Tu n'es à
Tanger que depuis quelques mois. Alal, lui, est né
ici. Il connaît la ville comme sa poche et est en
mesure de te nommer de mémoire, une à une,

toutes les petites frappes du coin, avec chacune sa spécialité, ses planques et son mode opératoire. Je sais combien tu le détestes, mais, pour une fois, garde ton venin pour toi. Et garde ton calme, surtout.

Il força Driss à s'asseoir dans le fauteuil qu'occupait, quelques instants plus tôt, le lieutenant Alal, retourna derrière son bureau, extirpa d'un tiroir une bouteille de whisky, se servit un verre et en tendit un autre à son subordonné.

— Bois un coup. Ça te remettra les idées en place.

Ils burent quelques gorgées, en silence.

— Ce que tu traverses est très dur, admit le commissaire. Il faut te ménager un peu, changer d'air. Qu'est-ce que tu dirais si je t'accordais une semaine de congé…

— Je n'en ai pas besoin.

— Moi, j'en ai besoin. J'en ai marre de te voir tirer la tronche. Ça me déprime… Tu vas gentiment rentrer chez toi, prendre une bonne douche, monter dans ta voiture et filer à Kénitra chercher ta femme. D'après son père, que j'ai appelé ce matin, elle n'en mène pas large. Une femme violée se sent comme un cadavre pourri qui refuse de s'éteindre tant il brûle de l'intérieur. Tu as tort de la laisser seule avec sa peine. Va la retrouver. Prouve-lui que tu l'aimes. Aide-la à se reconstruire. Emmène-la quelque part et oubliez le monde.

Le lieutenant Alal n'avait pas rejoint son poste, comme il l'avait laissé entendre dans le bureau du commissaire. Il guettait Driss sur le parking du commissariat, les narines palpitantes de rage.

— Qu'est-ce que tu insinuais devant le patron, tout à l'heure ?

— Je sais qu'il te faut toujours un dessin, mais de là à me demander de le colorier pour toi, faut pas abuser.

— Tu m'as ouvert le crâne pour compter les asticots dans ma cervelle, monsieur l'intello ? Tu te prends pour qui ? Tu crois que ta cravate masque le plouc que tu es ? Tu schlingues encore l'enclos à bestiaux que tu partageais avec les biques de ton berger de père… Tu n'as pas un gramme de mon intelligence. Je suis le meilleur flic du royaume, moi.

— Prouve-le, connard. Maintenant, recule, parce que tu pues de la gueule plus fort qu'un dragon de Komodo.

Driss repoussa le lieutenant contre la guérite du poste de contrôle et se dirigea sur sa voiture.

— Je te ferai ravaler tes propos à coups de pied au cul, espèce de sale pistonné, lui cria Alal. Si le commissaire t'a à la bonne, moi, je t'ai à l'œil.

— C'est ça, tête de pioche.

Driss s'engouffra dans sa voiture et fonça vers la sortie du parking. Il n'aurait pas hésité à passer sur le corps de Alal si ce dernier ne s'était pas écarté à la dernière minute.

De la fenêtre de son bureau, le commissaire avait suivi la scène.

— Pourquoi tu ne le mutes pas ailleurs, patron ? lui suggéra Slimane. Il n'est là que depuis quelques mois, et il se sent déjà pousser des ailes. En plus, il te manque de respect en notre présence.

Le commissaire s'alluma un gros cigare cubain avec un briquet en or massif sur le couvercle duquel était calligraphié le nom d'un certain El Fassi.

Il rejeta la fumée au visage de son secrétaire et dit :

— Il est le gendre d'une personne qui m'est particulièrement chère. Autrement, je lui grillerais les burnes sur une plaque chauffante pour lui apprendre les bonnes manières.

Driss téléphona à Farid pour le prier de le rejoindre à la maison. Quand il arriva devant chez lui, il trouva le brigadier sur place.

Le lieutenant tergiversa longtemps avant d'ouvrir la porte de sa demeure. Une gêne insoutenable le saisit aux tripes, accélérant les battements de son cœur. Il eut le sentiment de pénétrer dans l'antre du Diable.

Farid dut le pousser un peu pour qu'il franchisse le pas.

Le vestibule était encombré d'une pénombre malsaine.

Driss voulut rebrousser chemin, mais son subordonné lui barrait la route.

— J'ai envie de dégueuler.

— C'est dur, reconnut Farid, mais vous vous y ferez.

Ils passèrent au crible le vestibule, le rez-de-chaussée ensuite, la cuisine. Aucun ustensile ne traînait sur le plan de travail. L'évier étincelait de propreté. Le lave-vaisselle était vide. Driss vérifia les fenêtres; elles étaient toutes closes, les volets verrouillés. Pas une vitre n'avait été brisée dans la buanderie donnant sur le jardin. Il chercha du côté du garage, constata que le portail n'était pas fermé à clef.

— Vous pensez que l'agresseur est entré par là? s'enquit Farid.

Driss ne répondit pas.

Ils montèrent au premier. Rien de suspect sur le palier.

Le malaise de Driss s'accentua devant la porte ouverte sur la chambre à coucher.

— Ça va, lieutenant?

Driss n'entendit que le sang battre à ses tempes. Il respira profondément, expira, serra les mâchoires et entra dans la pièce. Les traces de violence sautaient aux yeux. Une chaise était renversée contre la commode à l'entrée, un abat-jour pendouillait au pied de la table de chevet, le couvre-lit s'était entortillé sur le flanc du matelas, la robe de soirée et la lingerie fine de Sarah étaient dispersées çà et là. On aurait dit que le cambrioleur avait cherché à maquiller la scène de son forfait, sauf qu'il avait manqué de présence d'esprit, constata Driss. Aucun tiroir n'était tiré. Dans la garde-robe, les costumes et les habits de Sarah étaient accrochés à leurs cintres, les chaussures soigneusement rangées sur l'étagère d'en bas ; pas une cravate ne manquait à l'appel. Sur la coiffeuse, chaque objet était à sa place, les boucles d'oreilles de Sarah, ses bracelets Messika, ses bagues et sa montre Cartier, son petit sac Vuitton, le petit coffret de maquillage.

— C'est à vous, lieutenant ?

Farid tenait un bouton de manchette dans le creux de la main. C'était un bijou en métal blanc, serti de brillants, avec une pierre verte incrustée au milieu. Driss le prit, le tourna et retourna, certain de l'avoir vu quelque part, mais impossible de se rappeler où. Il dit d'une voix soudain vacillante :

— Oui, c'est à moi. Tu l'as trouvé où ?

— Sous la commode.

Driss glissa le bijou dans sa poche et reprit son inspection. Il se pencha sur un verre sur la table de chevet, remarqua qu'un résidu laiteux s'était desséché au fond.

— Tu connais quelqu'un de fiable au labo ?

— Bien sûr, dit Farid.

— Enveloppe ce verre avec précaution. Je veux savoir ce que c'est que ce dépôt blanc.

Ils poursuivirent leurs recherches. Ne trouvant rien d'intéressant, ils retournèrent dans le garage s'assurer que la serrure du portail n'avait pas été forcée ; elle ne l'était pas.

— L'intrus est sûrement entré par là, persista Farid.

— Sans doute. D'habitude, c'est moi qui me chargeais de fermer à clef le garage. Sarah a dû omettre de le faire après mon départ pour Casa… Mais l'agresseur est sorti par la porte principale, sinon comment expliquer que l'équipe d'intervention l'ait trouvée ouverte ?

— Logique.

— Tu diras au gars du labo de m'adresser directement le rapport d'analyse et de ne pas en informer le commissariat.

— Il est obligé de suivre la procédure.

— Pas cette fois.

— C'est à Alal de mener l'enquête, voyons. Il ne va pas être content d'apprendre que vous marchez sur ses platebandes.

— Je l'emmerde. Ce fanfaron fait du surplace. Il n'est pas foutu de relever une empreinte digitale sur un bout de scotch.

Farid n'était pas chaud à l'idée d'enfreindre le règlement.

— Les délateurs sont légion, lieutenant, prévint-il.

— Contente-toi de trouver le bon laborantin et dis-lui que c'est strictement personnel. Quand tu auras les résultats, garde-les chez toi.

— Chez moi ? déglutit le brigadier.

— Je vais m'absenter une petite semaine.

Farid fronça les sourcils.

Le lieutenant le rassura :

— Je vais chercher ma femme.

Farid lâcha un gros soupir :

— Vous en avez mis du temps, dites donc.

## 7.

Abderrahmane Chorafa briefait ses proches collaborateurs dans la grande salle de réunion de l'école de police. En voyant, à travers la fenêtre, le lieutenant Ikker descendre de voiture, il leva la séance et s'empressa d'aller accueillir son gendre sur le parvis de ce temple administratif. Les mains sur les hanches, il attendit que Driss gravisse les marches du perron avant de lui ouvrir les bras.

— Où étais-tu passé, bon sang ?

— Je me le demande.

En serrant contre lui le lieutenant, le beau-père constata qu'il avait maigri.

— Tu es entier, c'est déjà ça.

Ils montèrent au bureau, à l'étage. Le secrétaire, toujours le même mammifère aux yeux fourbes, se mit au garde-à-vous. Le directeur le somma de ne laisser personne le déranger.

— Il y a M. Lantri qui se ronge les ongles dans la salle d'attente.

— Il a pris rendez-vous?

— Non, monsieur.

— Alors qu'il débarrasse le plancher. C'est pas un moulin, ici.

Il poussa gentiment son gendre à l'intérieur du bureau, lui indiqua un fauteuil et referma la porte.

— Je me faisais un sang d'encre pour toi.

— Je suis navré.

Il accrocha sa veste au portemanteau et vint s'affaler face à Driss.

— Ça va?

— J'avoue que je n'en sais trop rien.

— Il va falloir te reprendre en main, mon garçon.

— Ce n'est pas facile.

Abderrahmane lui servit une tasse de café.

— Tu veux des biscuits?

— Non, merci.

— C'est El Hajja qui les a préparés.

Driss refusa de la tête. Il but une gorgée du café, le trouva amer et pêcha un morceau de sucre dans une coupe en porcelaine.

— Tu nous as foutu une peur bleue, lui reprocha son beau-père. Disparaître comme ça, sans laisser de traces et sans donner signe de vie…

— Je n'avais pas quitté Tanger.

— Comment le deviner? Ton téléphone était tout le temps sur répondeur. On ne savait ni où tu te terrais ni comment te joindre. Je n'ai pas arrêté de persécuter ce pauvre commissaire Baaz. Lui-même était désemparé.

— J'ignore ce qu'il m'est arrivé.

Abderrahmane releva le menton de son gendre d'un doigt paternel.

— Un homme doit affronter les choses comme elles viennent.

— C'est très dur.

— Je n'en disconviens pas, et n'approuve pas, non plus, ta réaction. Je suis le père de la victime, je te rappelle. J'étais aussi furieux que toi, mais j'ai gardé la tête froide. (Il s'empara du combiné du téléphone.) Je vais prévenir Sarah que tu es là.

— Non, je veux lui faire la surprise.

— Elle est très affectée.

— J'imagine.

— Ta disparition n'a fait qu'aggraver son état de choc. Tu te rends compte si tu n'étais pas rentré plus tôt que prévu, cette nuit-là ?

— S'il vous plaît, je ne tiens pas à en parler.

— Je comprends, dit le beau-père en reposant le combiné. Je remercie le Ciel d'avoir empêché le pire. Sarah est une fille bénie. Une autre n'aurait pas eu sa chance. Baaz m'a promis d'arrêter le cambrioleur et de veiller à ce qu'il écope de la peine maximale.

Tandis que le dernier des plantons à Tanger connaissait l'affaire jusque dans ses moindres détails, Abderrahmane Chorafa ne semblait pas être au courant de ce qu'il s'était réellement passé dans la nuit du 8 au 9 avril. On lui avait sans doute caché que sa fille avait été «violée», autrement,

lui, homme d'honneur et de poigne, il ne remercie-
rait pas le Ciel.

L'appel du muezzin se répandit sur la ville, soulevant une nuée d'oiseaux autour du minaret.
Kénitra sortait de sa sieste digestive avec sa légen-
daire indolence. L'été était encore loin, et déjà
elle suffoquait dans sa poussière. Bientôt, à la sortie des mosquées, les ruelles allaient renouer avec
la fièvre de ses souks et le chahut de ses garne-
ments.

Driss accéléra pour rejoindre la villa de fonction
d'Abderrahmane Chorafa avant que la cohue ne
déploie son armée de colporteurs, de collégiens et
de badauds sur la place.

— Tu as brûlé un stop, lui signala son beau-
père.

— Je ne l'ai pas vu.

Driss n'aimait pas Kénitra. Pour lui, c'était une
ville rurale qui faisandait au soleil, à l'instar de ses
*chibanis*. Elle avait beau multiplier les liftings, elle
ne parvenait pas à se débarrasser de son air de
bourgade engrossée d'ennui. Il ne gardait de la
ville que des souvenirs d'école, qui n'étaient pas
fameux, et des week-ends aussi frustrants que les
quartiers consignés. Ce fut avec empressement
qu'il quitta la cité où, stagiaire, il avait tant de fois
touché le fond.

— Arrête-toi devant le boucher, sur ta droite. Ce
soir, on va s'offrir un bon barbecue pour conjurer le

mauvais œil. Depuis que Sarah déprime, tout le monde, à la maison, avale de travers.

— Je ne compte pas rester dîner.

— Pourquoi ?

— Je suis venu chercher ma femme pour l'emmener dans un endroit tranquille et *oublier le monde*.

— Partez demain.

— Merci pour l'invitation, mais j'ai besoin d'être seul avec ma femme.

— El Hajja ne va pas être contente.

— Je suis sûr qu'elle comprendra.

— Dommage, j'aurais aimé partager quelques moments avec toi. Mais je n'insisterai pas, si tu estimes que c'est ce qu'il y a de mieux à faire pour ton épouse et toi.

— Ce ne sera que partie remise, je vous le promets.

Ammi Laoufi, un vieux factotum qu'Abderrahmane Chorafa hébergeait chez lui, mit une éternité à ouvrir la grille de la villa. Il ne manifesta aucune réaction en voyant Driss sur le pas de la porte, s'inclina obséquieusement devant son employeur et clopina vers la voiture garée contre le trottoir.

— Pas la peine, lui dit Chorafa. Y a rien dans le coffre.

Le domestique hocha la tête et retourna à ses corvées, aussi fantomatique qu'une ombre.

El Hajja, la belle-mère, porta ses mains à ses tempes.

— Te voilà enfin, apostropha-t-elle son gendre. Où étais-tu passé? Mon diabète n'a pas baissé d'un cran depuis que tu as disparu.

— Je le lui ai dit, renchérit le beau-père.

El Hajja posa quatre baisers sonores sur les joues de son gendre, l'enlaça avec énergie, se recula pour le dévisager.

— Tu as une de ces têtes, mon fils!

— Où est Sarah?

— Dans sa chambre.

— Non, dit une servante, elle est dans le jardin.

Driss se dirigea vers le jardin qui se trouvait derrière la maison. El Hajja s'apprêta à l'accompagner; son mari la retint par le bras.

— Il veut être seul avec sa femme.

Driss parcourut une longue allée bordée de rosiers, soulevant au passage les aboiements d'un chien enfermé dans une cage. Ammi Laoufi, qui était occupé à réparer une clôture, lui indiqua le chemin d'un vague mouvement du menton.

Assise sur un banc à l'ombre d'un caroubier, Sarah se diluait dans sa mélancolie. Elle ne se retourna pas au bruit des pas qui s'approchaient.

Driss s'arrêta à quelques mètres de sa femme, les jambes brusquement flageolantes. Il n'eut pas la force d'aller plus loin.

Interpellée par le silence qui venait d'écraser le jardin, Sarah pivota lentement la tête. Elle accusa un soubresaut lorsqu'elle découvrit son mari debout derrière elle. Les larmes affluèrent aussitôt à ses yeux.

— Qu'est-ce qu'il nous arrive ? gémit-elle.

— Ça va aller.

## 8.

Au Maroc, quand on est issu des franges sociales défavorisées, la seule façon d'éviter le statut de tête à claques est de s'improviser magistrat ou flic.

Au lycée, Driss Ikker ambitionnait de devenir procureur.

Né dans un gourbi sur les hauteurs du Rif, de père éleveur de chèvres et de mère bête de somme, le petit Driss refusait de finir berger comme ses frères aînés au visage tanné par les vents aiguisés de Djebel Tidirhine. Chaque matin aux aurores, qu'il pleuve ou qu'il neige, il parcourait des kilomètres pour rejoindre son école qui se trouvait dans un village en aval. Il atteignait sa destination à moitié mort de froid, les savates gorgées d'eau, le tablier dégoulinant de boue. Mais il avait tenu bon, conscient que seule la réussite dans ses études pourrait changer sa vie. Il ne rêvait pas encore de robe de magistrat, mais il détestait déjà l'uniforme des flics à cause du brigadier Roguî qui traitait les paysans comme un seigneur médiéval ses serfs. Un jour, fatigué d'être maqué, Ikker le père avait décidé de se rendre en ville pour attirer l'attention des autorités locales sur les agissements du satrape en képi, censé veiller sur l'ordre, qui rackettait les pauvres sans le moindre scrupule. Le boomerang lui revint de plein fouet sur la figure. Ikker le fils était en train de faire de l'auto-stop pour se rendre au lycée quand il fut arrêté pour ébriété sur la voie publique. On l'écroua sept jours et sept nuits dans une geôle infestée de cafards pour faire entrer défi-nitivement dans le crâne de son géniteur que celui qui touche à un flic, véreux ou vertueux, porte atteinte à toutes les institutions chérifiennes.

Ce fut au cours de sa détention arbitraire que Driss Ikker se jura de ne plus laisser un fumier le prendre pour un paillasson.

Sa licence de droit en main, il avait frappé à toutes les portes sans succès. Puis, un notaire cor-rompu jusqu'à la moelle daigna le prendre à l'essai. Il le garda deux années pour un salaire de misère. Driss passait son temps à se rendre com-plice, malgré lui, d'un tas d'escroqueries. Ce n'était pas ce qu'il souhaitait faire de sa vie. Au Rif, la valeur d'un homme reposant exclusivement sur son honneur, on apprend aux enfants à être braves et dignes pour que leur dénuement soit perçu comme une condition sociale et non comme une nature.

Driss s'était remis à la recherche d'un emploi auprès des tribunaux avant de constater que le

piston et le népotisme supplantaient outrageuse-
ment la compétence et la droiture. Sur un coup de
tête, il tenta sa chance du côté de l'Institut royal de
police de Kénitra. Sa moyenne au concours d'admission n'était pas fameuse, mais, grâce à la
baraka de ses parents, il fut retenu.

Les deux premières années du stage s'opérèrent
sans éclats. L'élève Ikker se débrouillait sur le plan
théorique, mais il était nul côté pratique. Ses instructeurs ne se montraient pas très enthousiastes
quant à son avenir dans la corporation. Driss avait
des chances d'être renvoyé dans son douar voir les
bourriques rouler dans la poussière à longueur de
journée.

Six mois avant la fin du cursus, tandis qu'il
passait ses nuits à s'imaginer en train de se décom-
poser dans son bled empestant la crotte de bique, il
fut convié à une soirée de gala qu'un magnat du
holding industriel donnait dans sa résidence. Dans
le ryad du nabab, pavoisé de guirlandes et de lam-
pions, du beau monde trinquait aux bonnes affaires
dans une ambiance feutrée. Il avait de la classe, le
beau monde. On tenait son verre avec une certaine
distinction et on riait en portant la main à la
bouche. Driss, le péquenot effarouché qui n'était
pas fichu de réussir un nœud de cravate, se sentait
largué dans un univers aux antipodes du sien.
Recroquevillé dans son coin, il n'arrêtait pas de
consulter sa montre, pressé de regagner son dor-
toir, lorsqu'une voix pépia à son oreille :

— On n'a pas le droit d'être malheureux lorsqu'on a le privilège d'être le convive de Haj Ghaffar.

C'était Sarah, magnifiquement moulée dans une robe blanche qui mettait en valeur le vallonnement dunaire de ses hanches.

Elle tenait un verre d'orangeade entre ses doigts vernis ; un petit sourire du coin creusait la jolie fossette de sa joue.

— Je viens de l'arrière-pays, lui dit-il.

— Raison de plus. Si vous avez fait un tel chemin pour atteindre l'une des demeures les plus prestigieuses de Kénitra, rien ne vous empêche de conquérir le monde.

On aurait dit qu'elle sortait d'un roman de Truman Capote, avec son regard déluré et son charisme de vestale.

— Vous êtes une connaissance de Haj Ghaffar ?

— Seulement le camarade de chambrée de son neveu.

— Vous êtes dans les affaires ?

— Je suis stagiaire à l'école de police.

Elle avait raflé un verre de champagne au passage d'un domestique sapé comme un eunuque abbasside et l'avait offert au stagiaire.

— La mélancolie vous va bien, jeune homme, mais elle plombe l'ambiance.

— Vous trouvez ?

— Mieux, je confirme. Vous avez des soucis avec votre école ?

— Qui n'en a pas sur terre ?

— Quel genre de soucis ?

— Peu importe…

— J'ai pas mal de relations, vous savez.

Driss avait porté son verre à sa bouche pour ne pas répondre.

— Insubordination ?

— De ce côté-là, je suis irréprochable.

— Alors quoi ?

— Je ne tiens pas à en parler.

— Et moi, je ne veux pas voir les beaux garçons tristes. Ça gâche mon bon plaisir.

Elle avait claqué des doigts en direction d'un larbin qui slalomait avec un plateau au milieu des convives, choisi une tartine au caviar.

— Madame voudrait autre chose ? avait demandé le larbin d'une voix empruntée.

— Oui, que vous disparaissiez de ma vue.

Le larbin avait dégluti avant de se fondre dans la masse des bienheureux comme une ombre honnie.

Driss n'avait pas apprécié.

— Vous ai-je choqué ?

— Un peu, tout de même.

— Alors, si vous ne tenez pas à être traité toute votre vie comme ce valet, apprenez à ne jamais baisser la tête. Je ne traite personne de cette façon. J'ai seulement cherché à vous éveiller à vous-même.

— C'est très gentil à vous, mademoiselle, mais votre pédagogie laisse à désirer.

Elle avait soulevé un sourcil, mi-amusée mi-surprise.

— Et si nous allions dans un coin tranquille afin que vous m'aidiez à parfaire mes manières ?

Sans attendre de réponse, elle avait poussé Driss jusque dans une alcôve recouverte de bougainvilliers, un peu en retrait.

— Vous ne voulez vraiment rien me dire ?

— Je m'en voudrais de gâcher votre bon plaisir. Et puis, j'ignore qui vous êtes.

— Vous ne savez pas qui je suis ?

— Non.

Bien sûr que Driss mentait. Qui, à Kénitra, ne connaissait pas Mlle Sarah Chorafa, la fille adorée de son papa, l'intraitable directeur de l'école de police ?

Elle avait vidé son verre en deux-trois lampées puis, les yeux étincelants, elle était revenue à la charge :

— Ce n'est pas très galant de forcer une dame à insister.

— Que voulez-vous que je vous dise, mademoiselle ?

— Vos petits soucis de stagiaire ?

Pour Driss, la providence lui tendait la perche ; il se maudirait le restant de sa vie s'il ne l'attrapait pas au vol. Sa mère avait toujours prié pour lui lorsque, un croûton dans la poche et le cartable telle une croix sur le dos, il rejoignait l'école dans le noir, sous la pluie et parfois avec de la neige jusqu'aux genoux.

— Il paraît que je n'ai pas le niveau, avait-il fini par avouer.

— Vous croyez que tout le monde ici en a un ?

— Lorsqu'on est plein aux as, on n'en a pas besoin, avait répliqué Driss en reprenant un poncif courant dans le milieu des arrivistes fortunés.

Sarah l'avait pris par le menton et lui avait tourné le visage vers la lumière d'un lampion.

— Vous avez un nom, jeune homme ?

— Driss Ikker.

— Vous êtes trop beau pour avoir des soucis, lui avait-elle déclaré avant de rejoindre le cheptel raffiné qui festoyait dans le jardin.

Le surlendemain, Driss Ikker fut convoqué dans le bureau du directeur. Le secrétaire, un mammifère émacié doté de deux yeux fourbes, l'avait sommé d'attendre son tour dans un réduit frustrant. Pendant que l'élève Ikker se posait un tas de questions sur son sort, il entendit le directeur déblatérer. Sa voix de pachyderme faisait vibrer les murs :

— Je vous pendrai par les couilles, moi !

— Mais, monsieur le directeur, nous n'y sommes pour rien dans cette histoire, pleurnichait une voix de fausset.

— C'est vrai, attestait une autre. On n'était même pas là, Latif et moi.

— Toi, tu la fermes, fulminait le directeur. Quand deux imbéciles se suivent, le second se met à l'infinitif.

Driss sentit ses tripes remuer. Il était mal à l'aise chaque fois qu'il franchissait le seuil du temple administratif. Il demanda un verre d'eau ;

ne l'obtint pas. Sa soif s'accentua lorsqu'il vit deux stagiaires sortir totalement lessivés du bureau du directeur.

De la tête, le secrétaire lui fit signe d'entrer au purgatoire.

Driss claqua des talons et se mit au garde-à-vous, le cou rentré dans les épaules afin d'amortir le ciel qui menaçait de lui tomber sur la tête.

Sous le portrait du roi, un écriteau sous verre mentionnait : *Si le monde te hait, souviens-toi que l'on m'a haï avant toi.*

C'était signé *Jésus-Christ.*

Le directeur consultait un dossier, debout derrière son bureau. Et lorsque le directeur se tenait debout derrière son bureau, cela signifiait qu'il était très en colère. Driss crut avoir la berlue quand il vit le *moudir* se rasseoir et se caser confortablement sur son trône.

— J'ignorais que vous étiez très ami avec Sarah.

— Qui ?

— Vous êtes bien l'élève de troisième année Driss Ikker ?

— Affirmatif, monsieur.

— Vous avez rencontré ma fille à une soirée, avant-hier, non ?

— C'était votre fille, monsieur le directeur ? feignit Driss, hypocrite jusque dans le blanc des yeux. Je vous assure qu'à aucun moment je ne lui ai manqué de respect.

— Qui a dit ça? Bien au contraire, vous lui avez fait une excellente impression. Je dirais même qu'elle est littéralement sous votre charme.

Charme? Lequel? Chaque fois qu'Ikker se souriait dans une glace, son reflet lui renvoyait une grimace. Pourtant, il était beau avec son menton fendu et ses yeux azurés qui scintillaient comme des joyaux du haut de son mètre soixante-treize.

Le directeur replongea dans le dossier, parcourut les observations expéditives des instructeurs, s'attarda sur les notes peu réjouissantes sanctionnant les matières principales du programme en vigueur. Après s'être lissé le nez d'un air ennuyé, il grommela :

— Ça va être difficile de remettre de l'ordre là-dedans.

Le soir même, Sarah l'avait appelé au téléphone pour l'inviter dans un restaurant à Mehdia, un petit port de pêche qui fleurait bon les amourettes naissantes à quelques kilomètres de Kénitra. Driss ne chercha pas à savoir où la fille du directeur s'était procuré le numéro de son portable. Une étoile semblait briller pour lui, il n'allait pas regarder le doigt qui la lui montrait. Il enfila son costume lustré et passa par le poste de police récupérer le titre de permission exceptionnelle que l'officier de permanence devait lui remettre.

Sarah l'attendait à l'extérieur de la caserne, dans une décapotable blanche.

Le restaurant était sympa. Le chef, qui connaissait Sarah, les gava de poissons frais et de fruits de mer qui fondaient sur la langue. Après le dîner, Sarah emmena son protégé sur la plage et, assis tous les deux au sommet d'une dune face à la mer frémissante, ils parlèrent d'al-Moutanabbi et de littérature. Sarah vanta les auteurs qu'elle aimait, ensuite, parce que Driss n'avait jamais quitté le Maroc, elle lui fit l'éloge de Paris, de Vienne, d'Amsterdam, de Rome et des villes européennes qu'elle avait visitées avant d'en venir au prince charmant dont elle se languissait dans un pays où les hommes ne pensaient qu'à tirer leur coup avant de se défiler.

Sarah ne croyait pas aux rounds d'observation. Quand bien même elle aurait bourlingué à travers le monde et goûté aux délices terrestres, elle était célibataire à trente ans. Au Maroc, qu'elle soit née avec une cuillère d'argent dans la bouche ou bien avec un bât sur le dos, une vieille fille est moquée, voire méprisée. Sarah avait trois ans de plus que Driss, mais Driss ne voyait pas les choses sous cet angle.

— Vous devez vous demander quel genre de fille je suis pour aller aussi vite en besogne, n'est-ce pas, monsieur Ikker? Eh bien, je ne suis pas aussi pressée que j'en ai l'air. Bien au contraire, si j'ai attendu d'avoir quelques cheveux blancs pour me décider, c'est parce que je prends tout mon temps. Mais quand ma décision est prise, je vais droit au but. J'envisage de fonder une famille.

Elle s'était tournée vers Driss et l'avait regardé droit dans les yeux :

— Je vous observe depuis plus d'une année. De loin certes, mais avec beaucoup d'attention. Vous êtes la seule personne qui a remué quelque chose en moi.

Driss était sidéré. Il ne savait quoi dire ni quoi penser.

· — Détendez-vous, voyons. Je ne suis pas en train de vous mettre le couteau sous la gorge. Je vous avoue seulement que vous m'intéressez.

— Vous me prenez de court, mademoiselle. Je ne sais pas quoi faire.

— Ne faites rien pour l'instant. Je vous demande d'apprendre à me connaître un peu plus. Si vous avez en vue quelqu'un d'autre, la prochaine fois que je vous appelle au téléphone, raccrochez à la deuxième sonnerie. Je vous promets de ne plus vous importuner et, pour vous prouver que je ne suis pas rancunière, j'obligerai mon père à faire en sorte que vous décrochiez vos galons d'officier.

Sarah avait reconduit l'élève Ikker à l'école et était rentrée chez elle, persuadée d'avoir tiré le bon numéro.

De son côté, Driss ne dormit pas cette nuit-là. Il veilla jusqu'au matin, pesant le pour et le contre : Sarah était belle, riche, et avait du caractère. Son père était influent dans le corps de police. Pour le fils d'un éleveur de chèvres, déboussolé dans un monde où tout arrivait et partait très vite, il ne fallait surtout pas rater le train en marche.

Trois jours après, lorsqu'il reconnut l'appel de Sarah sur l'écran de son mobile, il décrocha avant la deuxième sonnerie.

Sarah et Driss sortirent plusieurs fois ensemble, d'abord à l'abri des regards, ensuite ouvertement.

Trois mois avant la fin du stage, ils étaient mariés.

Pour bénir cette union, à la stupéfaction générale, l'élève Ikker fut déclaré major de sa promotion et muté à Fès, la ville natale de sa belle-famille. Au bout d'un an, il n'en pouvait plus. Il y avait tout le temps du monde chez lui : les cousines de Sarah, ses tantes, sa mère, des parentes éloignées, d'anciennes camarades de lycée, sa nourrice aux allures de marâtre, et tous les jours, il y avait un oncle ou un proche qui débarquait sans préavis pour plaider la cause d'un associé ou d'un ami impliqué dans une affaire scabreuse. Le lieutenant Ikker en avait jusque-là de devoir fermer les yeux sur telle infraction ou de laver de tout soupçon d'authentiques canailles. D'un autre côté, il s'ennuyait ferme dans cette ville bourgeoise où il ne se passait pas grand-chose. Parce qu'il était le gendre d'Abderrahmane Chorafa, l'un des noms les plus révérés de la cité antique, Driss ne pouvait même pas se soûler dans un troquet clandestin sans risquer de jeter l'opprobre sur sa belle-famille qui avait fourni, durant des siècles, imams, exégètes et érudits.

À bout, il demanda à être affecté ailleurs.

Son beau-père lui proposa plusieurs destinations. Driss n'avait qu'à poser le doigt sur la carte, et l'endroit indiqué lui était acquis d'office. Il opta pour Salé. Où il ne resta pas plus de trois années à cause des blancs-becs fortunés qui passaient leur temps à parler de bagnoles de luxe, de belles touristes échaudées et de soirées arrosées. Sarah, non plus, ne se plaisait pas à Salé. Il y avait trop de femmes riches, mariées à des officiers plus gradés que son mari, qui la snobaient et ne l'invitaient parfois que pour lui en mettre plein la vue.

Driss avait besoin d'action. Il voulait se jeter dans la gueule du loup, suivre à la trace un dangereux tueur en série, piéger un boss de la drogue, résoudre un meurtre sophistiqué, bref, il réclamait les montées d'adrénaline et les articles de presse relatant ses prouesses de détective hors normes, avec sa photo à la une.

Son beau-père lui promit d'en toucher un mot en haut lieu. Ce qu'il fit sur-le-champ. D'un claquement de doigts, Sarah et son mari se réveillèrent à Casablanca. Mais là encore, le lieutenant Ikker ne tarda pas à déchanter. Son équipe aurait démoralisé un auteur de polar. Une fois par trimestre, elle se ruait à l'improviste sur les quartiers chauds de Bousbir ou de Hay El Kébir, embarquait dans la foulée et en vrac tout ce qui se trouvait sur son passage et rentrait au poste faire le tri.

Driss n'était pas fier de son boulot. Et Sarah, qui n'arrivait toujours pas à tomber enceinte, commençait à déprimer. Elle se mit aux antidépresseurs et à consulter les gynécos et les charlatans à la pelle en quête d'un traitement ou d'un élixir à même de faire d'elle une maman. Aussi, lorsque le flux menstruel survenait, elle sombrait dans une effroyable dépression.

— Pourquoi ne pas aller à Tanger ? leur suggéra la mère de Sarah en visite chez sa fille. Nous avons une résidence secondaire là-bas et un tas d'amis.

— J'ai trop sollicité mon beau-père, dit Driss d'une voix faussement embarrassée, lui qui ne demandait qu'à déguerpir au plus vite d'une ville gargantuesque qui l'atomisait. Il va finir par croire que j'abuse de sa générosité.

— Tu crois que les courtisans qui bourdonnent jour et nuit autour de lui, ils se gênent, eux ? Sarah a besoin de changer d'air. Casa est trop bruyante et trop polluée pour elle. Le cosmopolitisme de cette ville ne sied guère à la parfaite éducation de mes enfants. Ma fille est issue d'une grande famille. Sa place est parmi les grands. Elle n'a pas été élevée dans un appartement, et celui que vous occupez n'est pas digne d'elle. Sarah a appris à courir dans le jardin de notre ryad à Fès, entourée de servantes et d'arbustes fleuris. Elle réintégrerait son élément à Tanger à l'instant où elle poserait ses valises dans notre belle demeure, là-bas.

— Je suis d'accord, dit Sarah.

La mère téléphona aussitôt à son époux.

Deux mois plus tard, Sarah et Driss étaient à Tanger. Le lieutenant reconnut que sa belle-mère n'exagérait pas : la résidence secondaire des Chorafa n'avait pas grand-chose à envier aux palais de Salé.

Driss était superstitieux comme tous les gens de son Rif natal. Il croyait aux signes et prenait souvent ses rêves pour des prémonitions. Lorsqu'il débarqua au commissariat central de Tanger et le trouva déserté, il eut un mauvais pressentiment. Hormis quelques sans-grade errant dans les couloirs, il n'y avait aucun officier pour l'accueillir. Il décida de rentrer chez lui et de revenir l'après-midi. Au moment où il s'apprêtait à rebrousser chemin, un brigadier se présenta à lui.

— Vous êtes le lieutenant Ikker ?

— Lui-même…

Le brigadier lui tendit la main :

— Brigadier Farid. Je suis chargé de vous montrer votre bureau.

Il l'invita à le suivre au premier étage.

— Que se passe-t-il ? On dirait qu'on est en train de déménager.

— Un de nos lieutenants s'est suicidé, expliqua le brigadier. La majorité du personnel est au cimetière pour assister à l'enterrement.

Le mauvais pressentiment de Driss s'intensifia.

— Il s'est suicidé pourquoi ?

— Dieu seul le sait. Le lieutenant Athman était quelqu'un de bien, très professionnel et mesuré.

Rien dans son comportement ne laissait prévoir un tel drame. Pas plus tard que la semaine dernière, il me parlait de son prochain voyage à La Mecque. Et hier, on l'a trouvé sur la plage. Il s'était tiré une balle dans la tête.

— Vous êtes sûrs qu'il s'est donné la mort ?

— Il y avait des gens sur la plage. Tous ont dit la même chose : le lieutenant Athman a garé sa voiture face à la mer, posé le canon de son arme de service contre la tempe et appuyé sur la détente. Le moteur tournait encore quand la première patrouille est arrivée sur les lieux.

— Mon Dieu !

Le brigadier introduisit le nouveau venu dans un box donnant sur l'arrière-cour du commissariat. Il y avait un carton plein d'objets hétéroclites posé par terre.

— Ce sont les affaires du regretté Athman.

— Parce que, en plus, c'est ici qu'il bossait, s'écria Driss, la gorge serrée.

Trop de coïncidences disqualifient le hasard, pensa-t-il. Un commissariat déserté, un enterrement en guise de protocole d'accueil et le bureau du suicidé à la clef, cela n'augurait rien de bon.

— Vous n'êtes pas obligé de l'occuper aujourd'hui. On va d'abord remettre le carton à la veuve du disparu, expédier aux archives la paperasse qui encombre les étagères et, dans deux ou trois jours, vous pourrez vous installer à votre aise.

Driss aperçut un cadre en bois dans le carton, le ramassa. C'était le portrait d'un couple en train de sourire à l'objectif. La femme était jolie, avec deux grands yeux de biche et un grain de beauté sur le menton. L'homme paraissait ravi de poser aux côtés d'un être qu'il chérissait sans doute car un bonheur évident illuminait son regard.

— C'est lui, le lieutenant Athman ?

— Oui… Il était très discret, presque effacé, mais il va nous manquer.

— Il était sur une affaire compliquée ?

— Non, les enquêtes n'étaient pas de son ressort. Il n'était pas un homme de terrain. Il s'occupait de l'administration. Le commissaire l'aimait bien. Il avait confiance en lui.

— Il n'y a pas un autre bureau vacant ?

— Je ne pense pas. Mais rien ne vous empêche de voir avec le patron.

En attendant d'être reçu par le commissaire, commandant la police de Tanger, le lieutenant Ikker passa une semaine à moisir dans le bureau du défunt à proximité d'un téléphone muet, sans un feuillet sur le sous-main. Du matin au soir, il contemplait l'arrière-cour où un chien enchaîné prenait son mal en patience au milieu d'un fatras chargé de poussière. Telle une entité démoniaque, le commissaire hantait le bloc, mais personne ne le voyait.

Ce fut lors d'une réception officielle donnée par le gouverneur de Tanger, à laquelle furent conviés les notables et les officiers avec leurs épouses, que Driss Ikker croisa enfin le commissaire Rachid

Baaz, un grand gars aux cheveux grisonnants qui ressemblait un peu à Richard Gere dans *Time Out of Mind*. Ils échangèrent une vague poignée de main, le commissaire étant plus pressé de rejoindre le maître de céans que de perdre son temps avec le menu fretin. Soudain, il y eut un arrêt sur image : le commissaire ouvrit brusquement les bras comme s'il s'apprêtait à soulever une montagne en découvrant Sarah au milieu d'un groupe de dames fardées telles des geishas.

— Mademoiselle Chorafa, mon Dieu ! Quel privilège de vous revoir. Vous vous souvenez de moi ?

— Je ne crois pas, monsieur…

— Baaz, commissaire Baaz, chef de la police de Tanger. J'ai été l'assistant de votre père, il y a une quinzaine d'années, à Meknès. Je venais parfois dîner chez vous. Rachid Baaz, voyons, votre mère me surnommait Joha. Vous ne vous rappelez pas ?

Sarah se frappa le front avec le plat de la main.

— Vous êtes le fieffé farceur qui m'avait offert un horrible gadget à mon anniversaire !

— Vous étiez un magnifique brin d'adolescente plongée dans ses romans. D'ailleurs, vous êtes toujours aussi sublime. Mon Dieu ! Quel bonheur. Qu'est-ce que vous faites à Tanger ? Je sais que vos parents ont une résidence secondaire dans le coin, mais ça fait longtemps que personne n'y a mis les pieds. Vos parents sont venus avec vous ?

— Non, mon mari a été muté au commissariat central de Tanger.

— Quoi ? Je sais qu'un lieutenant vient d'arriver, mais… Vous êtes l'épouse du lieutenant Akdar ?

— Ikker, rectifia le lieutenant en se présentant de nouveau à son chef.

Le commissaire se métamorphosa d'un coup. Le patron arrogant qui fendait la foule tel un brise-glace cinq minutes plus tôt n'était plus qu'un morceau de sucre en train de fondre dans un verre d'eau. Il alla jusqu'à oublier le gouverneur qu'un troupeau de courtisans monopolisait à tour de rôle sur la véranda. Durant toute la soirée, le commandant n'avait pas tari d'éloges au sujet de son ancien patron, le *vénérable* Abderrahmane Chorafa.

— Je lui dois tout, jusqu'à mon mariage. Il était mon mentor et il restera dans mon cœur à jamais. Il m'avait annoncé qu'un parent à lui allait rejoindre mon écurie, mais j'ai eu un regrettable incident à gérer ces derniers jours et je n'ai pas eu le temps de le recevoir. Eh bien, chère Sarah, sachez que vous et votre époux, vous êtes chez vous dans ma circonscription. Je ne lésinerai sur aucun moyen pour rendre votre séjour à Tanger aussi agréable que fructueux.

Et il tint promesse.

Le lendemain, le commissaire invita les deux tourtereaux chez lui pour leur présenter sa femme Narimène et leurs trois filles.

— Désormais, nous sommes une même famille, leur déclara-t-il.

Au commissariat, Driss eut droit à un nouveau bureau, plus grand et mieux ensoleillé, avec vue sur la ville. Au troisième étage, près du bon Dieu.

Tout roulait sur du velours, pour les deux époux, jusqu'à cette terrible nuit du 8 au 9 avril où la sinécure vira au cauchemar.

## 9.

El Hajja avait essayé de garder sa fille et son beau-fils pour la nuit ; son mari la dissuada d'insister.

— Laisse-les partir. Ils ont besoin d'être seuls.

— Ils pourraient s'en aller demain matin. Driss m'a l'air fatigué. Et puis, il vient à peine d'arriver. Un bon dîner et une bonne nuit de sommeil lui feraient du bien.

Driss refusa gentiment l'invitation de sa belle-mère. Il pria sa femme de préparer sa valise, l'accompagna dans sa chambre. Sarah ouvrit une armoire et resta un moment absente. Elle ne paraissait pas pressée de quitter la maison familiale. Driss se tenait derrière elle, les bras croisés, ruminant en silence son impatience. Sarah le dévisagea dans la glace de l'armoire, perçut son agacement et se mit à chercher dans ses anciens habits quelques robes et de la lingerie à emporter.

— Tu *aurais pu* rester à mes côtés au lieu de me laisser seule et désemparée.

— Personne n'était plus seul et désemparé que moi.

— Où étais-tu passé ?

— De l'autre côté du miroir.

Sarah hocha la tête avant de se remettre à entasser des vêtements dans une valise ; ses gestes étaient chargés de colère.

Les deux époux quittèrent Kénitra vers 17 heures. Ils roulèrent une bonne partie de la route sans échanger un traître mot. Driss conduisait, les yeux dans le vague. Sarah avait attendu que son mari lui parle, en vain. Décontenancée par son mutisme, elle se ramassa sur son siège, le visage tourné vers le bas-côté, regarda le paysage qui défilait, jalonné de vergers, de champs, de plantations recouvertes de serres, de petits villages pittoresques. Lentement, bercée par le ronronnement du moteur, elle baissa les paupières et s'assoupit.

La nuit était tombée lorsqu'ils atteignirent Marrakech.

Driss rangea la voiture sur le parking de l'hôtel Sofitel. Un employé transporta les valises des deux époux dans une belle suite où une corbeille de fruits de saison et un énorme bouquet de fleurs les attendaient, enrubannés sur la table basse du salon.

— Tu veux qu'on dîne au restaurant ?

— Je préfère qu'on nous livre le repas dans la chambre, dit Sarah.

Driss appela la réception pour qu'on leur apporte de quoi manger.

— Je vais prendre une douche.

— Il y a un thalasso en bas, lui proposa Driss.

— Je ne pense pas avoir la force de tolérer des mains étrangères sur mon corps.

Driss acquiesça :

— Je comprends.

— Je ne crois pas, dit Sarah, un trémolo dans la gorge.

Ils se regardèrent comme deux êtres déboussolés, chacun coincé dans sa gêne, ne sachant comment interpréter l'attitude de l'un et de l'autre. À bout, Sarah osa un premier pas vers son mari, s'enhardit et se jeta contre celui qui était censé la réconforter et qui semblait aussi perdu qu'elle. Driss mit un certain temps à refermer ses bras autour d'un corps tremblant de souffrance intérieure et se contenta de fixer le lustre au plafond dont les lumières tranchantes lui fendillaient les prunelles comme des coups de rasoir.

Pendant que Sarah prenait sa douche, Driss sortit sur le balcon fumer une cigarette. Autour de la piscine, quelques clients bavardaient sur des chaises longues. Un serveur ramassait les verres et les bouteilles laissés sur les tables. Une demoiselle serrée dans un tailleur austère griffonnait sur un calepin. Driss souffla sa fumée vers le ciel constellé de gemmes scintillantes, chercha l'étoile du Berger et ne parvint pas à la situer.


Les deux époux dînèrent en silence. Le cliquetis des fourchettes et des couteaux ricochait sur les murs comme des projectiles. Sarah mangeait avec une voracité anormale ; Driss picorait dans son assiette sans appétit.

— J'ai besoin de me dégourdir les jambes.

— Tu vas encore me laisser seule ?

— La route m'a épuisé.

— Ça fait deux semaines que j'attends le moment d'être avec toi.

— Je suis là.

— Mais ta tête est ailleurs.

— C'est peut-être pour cette raison que j'ai besoin de sortir. Ça m'aidera à me remettre les idées en place.

— Quelles idées ?

— Ce qu'il nous est arrivé est un cataclysme, Sarah. On ne peut pas faire comme si de rien n'était.

— Alors, crevons l'abcès. Pourquoi fuir les mauvaises questions ?

— Je ne fuis rien, j'ai seulement envie de prendre le frais.

Sarah se prit la tête à deux mains et se recroquevilla sur elle-même.

Driss sortit marcher. À peine était-il arrivé dans le jardin de l'hôtel que l'envie de se dégourdir les jambes s'estompa. Il s'installa sur une chaise longue, près de la piscine, commanda un déca et se remit à fumer, ployé sous le fardeau de ses pensées.

Quand il regagna sa suite, Sarah était au lit. Driss pensa qu'elle dormait. Il se déshabilla dans le noir et glissa sous les draps. Au moment où il posa la tête sur l'oreiller, le bras de sa femme l'entoura.

— Tu ne dormais pas ?

— Où trouver le sommeil, chéri ? Je n'ai pas fermé l'œil depuis des nuits.

Elle se blottit contre lui, lui caressa tendrement la joue. Driss sentit le souffle de sa femme sur son visage puis des lèvres frissonnantes effleurer les siennes.

— J'étais tellement inquiète pour toi.

Il ne dit rien, lui rendit son baiser, furtivement, ce qui n'échappa pas à Sarah.

— Qu'est-ce qu'il y a, Driss ?

— Je tombe de sommeil. Essayons de récupérer nos forces. Demain, je t'emmènerai à la palmeraie.

— J'ai envie de toi, maintenant.

— Je ne suis pas prêt.

Elle se recula d'un mouvement brusque.

— Tu n'es pas prêt ou bien je te dégoûte ?

— Ne dis pas de sottises.

— Je te dégoûte, n'est-ce pas ? Je te répugne ? Tu ne me regardes plus avec les yeux d'avant. On dirait que tu m'en veux à mort…

— Arrête, s'il te plaît.

Sarah tourna le dos à son mari et se ramassa autour de ses genoux pour étouffer ses sanglots.

L'appel du muezzin retentit. Sarah se réveilla en sursaut. Il faisait encore nuit. Sa main chercha Driss dans le noir, trouva la place de ce dernier vide et presque froide. Elle se mit sur son séant, aperçut une silhouette debout contre la fenêtre.

— Driss ?

La silhouette ne se retourna pas.

Sarah repoussa les draps et, sans allumer, rejoignit son époux qui contemplait les lumières quadrillant la piscine déserte. Driss eut un léger soubresaut en sentant le corps de sa femme se presser contre son dos.

— Qu'est-ce que tu as, chéri ?

— …

— Dis-moi ce qui ne va pas.

— …

— Je t'en supplie, parle-moi. Dis-moi ce que je dois faire, comment me conduire, je suis totalement perdue. Tu m'as laissée seule chez mes parents, je me sens doublement seule maintenant que tu es avec moi. On dirait que tu me rejettes en bloc, et ça me brise le peu de cœur qui me reste. Ce qui nous est arrivé est monstrueux, terrible. Si tu estimes que j'en porte l'entière responsabilité, je ne t'en voudrai pas mais, pour l'amour du ciel, parle, crie, hurle. Ton silence est plus cruel que toutes les tortures réunies.

— Que veux-tu que je dise ?

— Ce qui te ronge de l'intérieur.

— Il n'y a pas de mots pour le décrire.

Driss l'étouffa presque d'une étreinte qui trahissait son immense désarroi.

— J'ai du mal à réaliser le malheur qui m'a frappé.

— Il n'a pas frappé que toi. Tu n'en es que le dommage collatéral. C'est moi que le malheur a ciblée. Je sais que ce n'est pas facile pour toi. Pour moi, c'est un désastre. Je suis dépassée, bouleversée, anéantie. Je ne sais comment me défaire de mon corps qui n'est plus que de la chair contaminée. Je n'ose plus me regarder dans une glace… J'aurais préféré que tu ne sois pas rentré plus tôt que prévu, cette nuit-là, que tu me trouves morte sur mon lit, réduite en pièces par mon agresseur.

— Tu n'as pas été la seule à être taillée en pièces, cette nuit-là.

— Je me serais défendue jusqu'à la mort. Ton honneur est tout pour moi. Mais il ne m'a pas laissé le temps de comprendre ce qu'il m'arrivait. J'avais à peine refermé la porte qu'il m'a neutralisée par-derrière en plaquant un mouchoir imbibé de chlore sur mon visage. Quand je suis revenue à moi, j'étais à l'hôpital.

— Moi, je n'arrive toujours pas à me réveiller.

Elle le repoussa violemment.

— Il ne s'agit pas que de toi.

Elle éclata en sanglots, le visage enfoui dans la poitrine de son mari.

Driss comprit qu'il ne faisait que martyriser davantage son épouse. Il lui dit, sans conviction :

— Il faut apprendre à survivre à ce qui est supposé nous détruire si nous voulons être immortels.

## 10.

Les Ikker passèrent quatre jours à Marrakech. Leurs promenades dans la palmeraie et au jardin Majorelle, la cohue festive de Jemaa el-Fna et leurs dîners en tête à tête au Jad Mahal, un restaurant branché de la ville, leur firent du bien. Par moments, un malaise sournois les rattrapait au détour d'un passage à vide, mais ils le surmontaient la nuit lorsque, couchés dans leur lit, ils se taisaient dans le noir. Driss n'était toujours pas prêt pour faire l'amour ; Sarah ne lui en tenait pas rigueur – elle comprenait.

De retour à Tanger, les deux époux mirent un certain temps à descendre de voiture. Ils étaient restés rivés à leur siège, tétanisés, osant à peine lever les yeux sur leur maison. Ce fut Sarah qui mit pied à terre la première. Elle se tourna vers le voisinage pour s'assurer que personne ne l'observait d'une fenêtre ou d'un balcon. Elle se doutait bien que tout le monde, dans le quartier, était au courant de ce qu'il s'était passé dans la nuit du 8 au 9 avril.

Driss la rejoignit, une valise dans chaque main. Il poussa du genou la grille, gravit le perron et attendit que son épouse lui ouvre la porte. Il entra dans le vestibule, posa les deux valises contre le mur et dit à sa femme qui n'arrivait pas à franchir le seuil de la belle demeure au jardin fleuri :

— Allez, viens.

Sarah ne bougea pas. Elle était comme collée contre une vitre invisible, le visage blême, les épaules contractées.

Driss dut revenir la chercher.

— Ne restons pas dehors, s'il te plaît.

— Je ne pense pas pouvoir vivre dans cette maison.

— À qui le dis-tu !

Driss monta au premier, s'arrêta net devant la chambre à coucher. Le lit avait été soigneusement fait ; aucun vêtement ne traînait par terre ; tout avait été remis en ordre.

— Ma mère est venue ici avec sa femme de ménage et son jardinier pendant que nous étions à Marrakech, lui expliqua Sarah.

— Il ne fallait pas.

— Je ne tenais pas à retrouver la maison dans l'état où mon agresseur l'avait laissée.

— La police scientifique n'a pas encore fait son travail.

— Elle aurait dû le faire pendant que nous étions absents.

Driss admit que sa femme avait raison ; c'était de sa faute à lui si les experts n'avaient pas été sollicités. Il ouvrit les fenêtres et les volets, laissa la lumière du jour inonder la pièce pendant que Sarah demeurait plantée sur le palier. La chambre lui parut soudain aussi infecte qu'une geôle, et la lumière du jour aussi violente qu'un retour de flamme. Le malaise, qui le rattrapait de temps en temps à Marrakech, s'ancra en lui. Driss manqua de souffle tandis qu'une transpiration subite perla sur son front. Il dit, la gorge contractée :

— Bon, il faut que je file, maintenant.

— Où veux-tu aller ?

— Au commissariat voir si l'enquête avance.

— Tu n'as qu'à téléphoner. Je ne veux pas rester seule dans cette maison.

— Nous n'avons pas un autre endroit où nous poser. Tu dois surmonter tes angoisses et te faire une raison.

— Je t'en prie, reste avec moi.

— Ça nous avancerait à quoi ? Il n'y a pas d'esprits frappeurs, ici.

— Certains souvenirs sont plus terrifiants que les fantômes, Driss.

— Il va nous falloir vivre avec.

Il se rafraîchit dans la salle de bains, changea de chemise.

— Je ne serai pas long, promis.

Elle le suivit jusque dans le vestibule, tourmentée.

Il l'embrassa furtivement sur la bouche.

Avant de sortir de la maison, il lui souleva le menton de façon à la regarder droit dans les yeux.

— Est-ce que tu avais mis tes bijoux et ta montre Cartier quand tu t'es rendue à la soirée que donnait chez elle la chanteuse Wafa ?

— Oui, pourquoi ?

Il lui sourit et, sans répondre, il regagna sa voiture.

Sarah demeura longtemps figée dans le vestibule, les sourcils froncés, à se demander où son mari voulait en venir.

En franchissant le seuil du commissariat, Driss eut l'impression de s'exhiber comme une bête foraine. Chaque regard qui croisait le sien le mettait à nu. Les sans-grade s'écartaient sur son passage, d'autres se taisaient brusquement en le voyant s'approcher. Les marches lui paraissaient plus hautes que d'habitude, les couloirs interminables. Il fut soulagé d'atteindre le troisième étage et se dépêcha de se réfugier dans son cabinet.

Il sonna le planton, un vieil homme valétudinaire à peine perceptible dans son costume usé.

— Dis à Farid de venir me voir.

— Il n'est pas là, monsieur.

— Dirige-le sur moi dès qu'il sera de retour.

— Il sera absent toute la journée, monsieur.

— Il est en congé ?

— Il a appelé ce matin. Une rage de dents, monsieur.

Driss libéra le planton et forma aussitôt le numéro de téléphone du brigadier. Il tomba trois fois sur le répondeur.

Le planton revint avec une tasse de café qu'il posa précautionneusement sur le bureau du lieutenant.

— Merci, Tahar.

— De rien, monsieur. Vous voulez autre chose ?

— Je ne crois pas… Quelles sont les nouvelles ?

— Le journal est sur votre sous-main, monsieur.

— Je parle de l'enquête. Alal a trouvé quelque chose ?

— Pas vraiment. Il est dans le bureau du secrétaire. Vous voulez que j'aille lui dire de venir vous voir ?

— Pas la peine, claqua une voix derrière le planton.

Le lieutenant Alal entra sans frapper, chassa de la tête le vieux Tahar et referma la porte derrière lui. Ses naseaux palpitaient comme ceux d'un buffle sur le point de charger.

— Tu disais quoi, l'autre jour, sur le parking ?

Driss porta sa tasse de café à ses lèvres, but une gorgée puis, du revers de la main, il fit signe à l'intrus de débarrasser le plancher.

— Comment tu m'as traité ? Connard ? Moi, un connard ?

— Tête de lard t'irait mieux, mais ça ne sied pas à un musulman même non pratiquant.

Alal s'ébranla. Son visage s'embrasa jusqu'au blanc des yeux. Il s'arc-bouta contre le bureau, les coins de la bouche débordant de bave laiteuse.

— Viens dehors, que l'on règle ça entre hommes.

— Tu crois que tu en es un ?

— Si tu en doutes, je peux arranger ça, dit Alal en portant la main à sa braguette. Tu veux que je te la montre ?

— Tout le monde sait que les ânes sont bien montés.

Alal se pencha davantage par-dessus le bureau, la figure décomposée. Son haleine avinée obligea Driss à se reculer. À court de reparties, il opta pour l'invective :

— Espèce de salaud. Face de fille. Viens dehors, si tu as des couilles. On ira où tu voudras. Sur la colline, sur la plage, sur un terrain vague. Je te laisse le choix.

— Tu n'as pas l'impression d'avoir raté ta vocation, lieutenant ?

— En tous les cas, je ne te raterai pas, fais-moi confiance.

— La police, ce n'est pas pour toi. Je te vois mieux en montreur de singes dans le souk de ton douar. Tu devrais y réfléchir, je t'assure.

Cette fois, Alal se déchaîna. Il attrapa Driss par le col de la chemise et l'attira avec hargne. Il n'eut pas le temps d'armer son poing libre. Driss pivota sur lui-même pour se défaire de la main sur son cou, contourna d'un bond son bureau et cogna.

Son crochet se perdit dans le vide. Alal riposta dans la foulée ; il atteignit l'épaule de son adversaire. Les deux officiers s'empoignèrent dans le crissement du mobilier alentour, se ceinturèrent en haletant, tantôt en butant contre les chaises, tantôt en s'écrasant contre les murs. Alal s'avéra plus coriace qu'une sangsue géante. Driss réussit à libérer un bras, donna du coude sans succès, se déporta sur les cheveux de son ennemi juré et en ramena une moumoute qu'il jeta à terre.

— Ça suffit, tonna le commissaire Baaz, freinant net les hostilités.

Les deux lieutenants se repoussèrent, aussi débraillés que deux épouvantails dans un champ en disgrâce. Ils se regardèrent en chiens de faïence, essoufflés, bourdonnant de fureur.

— Vous vous croyez dans une cour de récréation ?

— Il m'a manqué de respect, dit Alal en remettant de l'ordre dans ses habits.

— C'est toi qui es dans son bureau, lui fit remarquer le commissaire. Donc, c'est toi le fautif. Je veux te voir demain, à la première heure, dans le mien.

Il se tourna vers Driss :

— Quant à toi, j'ai deux mots à te dire.

Il lui fit signe de le suivre.

Slimane, qui se tenait dans l'embrasure de la porte, s'écarta pour laisser passer le commissaire et le lieutenant Ikker, attendit que les deux hommes s'éloignent avant de croiser les bras sur la poitrine, la moue désapprobatrice.

— Je t'avais dit que c'était pas une bonne idée, reprocha-t-il à Alal.

— J'ai horreur des pistonnés.

— Mais pas au commissariat, putain, pas au troisième étage, à deux pas du bureau du patron.

— C'était plus fort que moi.

— Ta cravate est de travers.

— M'en fous. Ce fils de chien m'a traité de connard. Il me prend de haut alors qu'il ne mérite même pas de me cirer les pompes. Parce que le patron l'a à la bonne, il se croit tout permis. Il est là depuis des mois, et pas une fois il n'a abîmé ses petits souliers sur le terrain. Monsieur arrive le matin à l'heure qui lui convient, lit le journal en sirotant son café, s'acquitte de ses mots fléchés puis il rentre chez lui en attendant une promotion, les doigts dans le nez. Pendant ce temps, moi, je me casse le cul à droite et à gauche pour des prunes. C'est pas juste.

— C'est la vie, lui fit Slimane.

— Pourquoi le patron est-il aux petits soins pour lui ? Qu'est-ce qu'il lui trouve que les autres n'ont pas ?

— Driss est le gendre d'Abderrahmane Chorafa, voyons.

— Et alors ?

— Le patron a une dette envers le beau-père de ce couillon.

— Si c'est une question de fric, on cotise.

— Il y a des dettes que l'on ne rembourse pas avec du fric, mon ami. Allez, ramasse ta moumoute et partons quelque part boire un coup. Je toucherai deux mots au commissaire pour qu'il ne t'emmanche pas à sec, demain.

Le commissaire, commandant la police de Tanger, ne sermonna pas Driss, ne fit même pas allusion à la bagarre avec Alal. Il avait l'air préoccupé par autre chose. Il invita le lieutenant à prendre place sur un fauteuil et lui offrit un whisky.

— Comment ça s'est passé à Marrakech ?

— Bien.

— Et Sarah ?

— Elle assure. C'est plutôt moi qui navigue à l'aveugle.

— Il faut te reprendre en main, Driss. Sinon, ça va tourner très mal pour toi.

— J'essaye…

— Mais non, tu ne fais aucun effort. Tu te livres pieds et poings liés à tes aigreurs, et c'est très mauvais. J'ai eu M. Chorafa au téléphone, ce matin. Il dit que tu n'es même pas repassé par Kénitra en rentrant à Tanger. Sarah est sa fille, je te rappelle. Il a le droit de savoir comment elle a réagi après vos retrouvailles. Il n'était pas content, crois-moi. La moindre des corrections aurait été de faire un petit détour par Kénitra pour rassurer un peu la famille.

— Je n'y ai pas pensé.

— Tu vois ? Tu te focalises sur tes idées noires et tu oublies l'essentiel.

Il lui versa un autre verre.

— J'ai beaucoup réfléchi pendant que tu étais en congé, Driss. Tu as besoin de rompre avec le malheur qui t'a frappé. Tanger te pèse, t'écrase, te dégoûte, c'est compréhensible. Le regard de tes collègues, aussi. Ça te dirait d'être muté à l'école de police de Kénitra ? La proximité de ses proches aiderait Sarah à se reconstruire, et toi, à changer d'air.

— Vous avez raison, commissaire. Tanger m'insupporte. Mais je ne la quitterai pas avant de régler son compte au salaud qui a profané l'inté-grité de mon couple.

— Je ne te demande pas de partir tout de suite. Mais ce serait bien que tu le fasses, *après*.

Le commissaire Rachid Baaz retourna derrière son bureau pour agiter une chemise cartonnée.

— Ton dossier d'avancement. Je m'y suis pris un peu en retard, mais on m'a promis à la direction générale de faire une exception pour toi.

— Merci, dit Driss sans enthousiasme. Je peux disposer ?

— Je ne te retiens pas.

Driss avala une dernière gorgée de son whisky et se dirigea vers la sortie.

— Driss…, l'appela le commissaire.

— Oui ?

Le commissaire voulut lui dire quelque chose, se ravisa.

— Non, rien.

Driss hocha la tête et referma la porte derrière lui.

Le brigadier Farid s'était inscrit aux abonnés absents. Driss commençait à perdre patience. Il roulait au hasard, un œil sur la route, l'oreille aux aguets. Farid ne rappela pas.

La nuit tomba doucement sur Tanger. L'odeur de la mer se répandit dans l'air, douce comme une caresse. Les rues grouillaient d'un monde tranquille. Les terrasses étaient prises d'assaut. Un groupe de touristes prenait des selfies çà et là, ravi de la fraîcheur du soir. C'est une belle ville, Tanger. Il émane de ses entrailles des ondes heureuses. Les dieux de la mythologie méditerranéenne y reposent en paix. Certes, par endroits, la misère chahute la splendeur singulière des vieux quartiers, mais elle ne fausse pas grand-chose de la quiétude des gens. À Tanger, le geste est bienveillant, le regard sain, l'esprit débonnaire. Pour quelqu'un qui cherche un point de chute pour rebondir, il n'y a pas meilleur tremplin que Tanger. Il suffit de serrer une main pour percevoir le pouls de la réconciliation avec soi, de s'abreuver aux sources d'un sourire pour recouvrer une nouvelle jouvence. Mais Driss ne voyait rien de ces rues qui mènent au large comme des arches de Noé, et rien de ces visages affables qui consoleraient n'importe quel regard perdu. Il conduisait, les yeux tournés à l'intérieur de son crâne saturé de noirceur et d'empuantissement. Il pensait aux propositions du commissaire pour lesquelles il ne ressentait aucune réelle adhésion. Qu'il soit muté à l'école de police ou bien au ministère, qu'il accède au rang de commissaire ou bien au grade de commandant, il ne voyait que sa femme nue, menottée, souillée, étendue à plat ventre sur un lit qui le dévorait chaque nuit comme un tas d'orties.

Lorsqu'il revint à lui, il se surprit accoudé au comptoir d'un bar, un verre d'alcool entre les mains. Autour de lui, quelques clients bavardaient en s'abritant derrière leurs chopes de bière, d'autres rigolaient à gorge déployée pour des broutilles, heureux d'être ivres à prendre un cochon pour un éléphant rose. Le barman, un petit homme à peine plus haut qu'un manche à balai, s'affairait, un torchon accroché à sa ceinture. Le garçon, lui, astiquait les tables et vidait les cendriers d'un air absent. Driss attendit de voir partir deux gars cravatés pour occuper leur table, au fond de la salle. Il commanda un autre verre qu'on lui apporta aussitôt, s'alluma une cigarette et tenta d'oublier le raffut dans sa tête.

À côté de lui, deux jeunes hommes se racontaient leurs quatre cents coups. Le plus maigre n'arrêtait pas de faire craquer ses doigts tandis que son copain lui confiait comment il comptait s'envoyer l'épouse de son employeur :

— Son mari ne se doute de rien ? salivait le plus maigre, les yeux écarquillés d'émerveillement angoissé.

— Comment veux-tu qu'il se doute de quelque chose ? Il passe son temps derrière sa caisse à ranger son argent. Il n'a d'yeux que pour ses recettes. Après la fermeture, il s'enferme à double tour dans sa boutique pour faire et refaire ses calculs. Ça fait des semaines que sa femme me fait du gringue. Hier, quand je lui ai apporté ses emplettes, elle…

Il ne termina pas son récit. Driss se rua sur lui et lui écrasa le verre sur la tête. Le jeune homme tomba à la renverse, la figure ensanglantée, aussi surpris qu'assommé.

— Ça va pas ? s'écria le maigre.

— Un peu mieux, maintenant, lui rétorqua Driss en quittant le bar sous le regard ahuri des clients.

Ne réussissant pas à joindre Farid au téléphone, Driss décida d'aller le trouver chez lui. Le brigadier habitait à Val Fleuri, un quartier populaire assez joli depuis que les habitants s'étaient mobilisés pour lui rendre un peu de son lustre d'antan. La maison du brigadier faisait coin, derrière un square gazonné assiégé de mioches malgré l'heure tardive. Driss sonna au numéro 17, attendit cinq bonnes minutes avant d'entendre un loquet grincer.

Farid fut surpris de découvrir son chef sur le pas de sa porte.

— À quoi tu joues, merde ? Pourquoi tu ne me rappelles pas ?

Farid était confus, un tantinet paniqué. Il ne s'attendait pas à une telle visite.

— J'ai du monde chez moi. On va dans un café ?

— Je ne vais nulle part, trancha le lieutenant. Je suis venu récupérer les analyses.

Farid déglutit. On aurait dit une bête prise au piège ; il ne savait où donner de la tête.

— Qu'est-ce qu'il y a ? le pressa Driss. Tu ne vas pas me dire que le labo les a expédiées au Central ? J'ai été très clair, pourtant. Tu confies le verre à un laborantin de confiance et tu t'arranges avec lui pour que ça reste entre nous.

Farid se gratta la tête, fortement embarrassé.

— Quoi ? Tu as avalé ta langue ?

— J'sais pas comment vous expliquer, lieutenant. C'était pas à cause d'une rage de dents si j'ai séché ma journée au commissariat. Je n'avais pas le courage de me présenter en face de vous.

— Je suis devant toi, maintenant.

Farid s'essuya la figure dans un pan de sa chemise, renifla, se gratta encore et encore derrière l'oreille.

— Je suis vraiment désolé, lieutenant. Tout est de ma faute. Le laborantin de confiance était en congé, ce jour-là. J'ai gardé le verre chez moi. Je l'ai mis à l'abri dans le tiroir de ma table de chevet, bien enveloppé dans un sachet…

— Et… ?

— Ben, ma femme l'a trouvé. Et elle l'a lavé avec la vaisselle.

Driss manqua de lui sauter à la gorge.

— Ça, c'est la meilleure !

— J'aurais dû dire à ma femme de ne pas y toucher, mais je ne pensais pas qu'elle allait fouiller dans le tiroir de ma table de chevet.

Driss leva les bras pour sommer le brigadier de ne plus ajouter un seul mot, recula de quelques pas, se retenant de s'arracher les cheveux, et regagna sa voiture garée au bout de la rue en donnant des coups de pied dans une canette vide sur la chaussée.

## 11.

Sarah se tenait la tête à deux mains dans la cuisine, les coudes sur la table. Elle sursauta en entendant claquer la porte d'entrée.

— C'est moi, lança Driss du vestibule.

Les yeux bouffis, les commissures des lèvres creusées, elle s'empara d'un verre d'eau et le vida d'une traite. Elle paraissait émerger d'un profond sommeil.

— Tu n'as rien préparé à manger ? lui fit Driss en desserrant sa cravate.

— Il n'y avait pas grand-chose dans le frigo.

— Tu aurais pu m'appeler pour que j'aille faire des courses.

— Je t'ai laissé plusieurs messages sur ton répondeur.

Driss accrocha sa veste au portemanteau. Il était de mauvaise humeur.

— Tu as faim ?

— Oui, j'ai faim.

— Tu veux que je te fasse une omelette? Il reste quelques œufs.

— Pas la peine. Et puis, basta! Je monte me coucher.

Il quitta la cuisine en pestant.

Sarah le rejoignit dans la chambre, une demi-heure plus tard. Driss était au lit, tourné vers sa table de chevet. Il avait éteint toutes les lumières.

Sarah se déshabilla; en enfilant sa chemise de nuit, elle s'enquit :

— Si tu veux, je peux dormir dans la chambre d'amis.

— Pourquoi?

— Tu me fais la gueule, et je ne le supporte pas.

— J'ai le droit de broyer du noir.

— Pas à la maison, Driss. J'en ai jusque-là de ta bipolarité. Si ça t'amuse de jouer au carnaval en solo, moi pas.

— Je me passerais volontiers d'une scène de ménage, ce soir.

Elle hocha la tête, désappointée.

— Je n'arrive pas à te suivre, chéri. Tes volte-face me déstabilisent. On dirait que tu essayes sur moi toutes sortes de diversions. D'un côté, tu me lâches du lest, de l'autre, tu me prends de court. J'ignore où tu veux en venir et j'ai besoin d'être fixée une fois pour toutes. Crevons l'abcès, et tant pis pour moi s'il s'agit d'une tumeur maligne. Qu'est-ce qu'il y a? (Elle arracha les draps avec hargne.) Tu dormiras après. (Driss tira les draps sur lui; Sarah les lui arracha de nouveau et les jeta par terre.) Ne te voile pas la face, Driss. J'en ai marre de te subir comme un cas de conscience supplémentaire. Je culpabilise suffisamment comme ça.

Driss alluma la lampe de chevet et se mit sur son séant. Les bras autour des genoux, il considéra sa femme, une lueur vilaine dans les yeux.

— Tu te calmes, d'accord ?

— Parce que tu m'aides dans ce sens, toi ? Je croyais qu'on avait décidé de nous reprendre en main, à Marrakech. C'est toi qui disais que pour devenir immortels, il faut dépasser ce qui cherche à nous détruire. J'ai fait des efforts sur moi. Des efforts titanesques. Je cache mes blessures et bois mes larmes pour tâcher d'être à la hauteur de ce que tu attends de moi. Mais toi, tu me confisques d'une main ce que tu me prêtes de l'autre. À l'usure, ton jeu devient carrément stupide et exaspérant à l'extrême.

— Ce n'est pas un jeu. Ma femme a été violée par un salaud, et ce salaud est quelque part dans la nature en train de se payer ma tête. L'enquête crapahute et le lieutenant chargé de la mener préfère s'occuper de ses petites affaires. Ce n'est pas contre toi que je tire la tronche, mais contre ces incompétents qui ne foutent rien.

— Je ne te crois pas. C'est à moi que tu en veux.

Elle contourna le lit pour se mettre devant lui.

— Que signifie la question que tu m'as posée avant de sortir, tout à l'heure ?

— À propos de quoi ?

— De mes bijoux et de ma montre Cartier.

— Je voulais dresser le profil de ton agresseur. Au commissariat, on prétend qu'il s'agit d'un cambrioleur. Or rien n'a été volé.

— Il n'a pas eu le temps de voler quoi que ce soit.

— Tu dis qu'il t'a plaqué du chlore contre la figure pour t'endormir. Pourquoi a-t-il pris le soin de te défaire de tes boucles d'oreilles, de ta chaîne, de ta montre qu'il a gentiment posées sur la coiffeuse, de te déshabiller sans rien déchirer, de te violer sans s'acharner sur toi ? Ton corps ne portait aucune trace de violence.

— Tu en déduirais quoi ?

— Que nous n'avons pas affaire à un vulgaire voleur. Mais à un pervers qui avait besoin d'assouvir son fantasme. Il savait que tu allais être seule cette nuit-là. Il s'est débrouillé pour entrer par le garage que tu avais omis de fermer à clef et il t'a attendue. Avec son arsenal de maniaque.

— Comment pouvait-il savoir que j'allais être seule ?

— C'est peut-être un voisin, ou quelqu'un qui m'a vu charger ma valise dans le coffre de la voiture pendant que je m'apprêtais à me rendre à Casa. On ne rentre pas chez soi le soir même quand on s'encombre d'une valise. Tu es sûre de n'avoir rien remarqué en rentrant, cette nuit-là ?

— Je t'ai dit qu'il ne m'avait pas laissé le temps de comprendre ce qu'il m'arrivait. J'avais à peine refermé la porte qu'il s'est jeté sur moi. Il était fort, de grande taille, il m'a neutralisée comme une poupée de chiffon. J'ai essayé de le griffer, mais je n'ai pas réussi à l'atteindre. Puis, le trou noir.

— Tu avais fait la sieste avant de te rendre à la soirée de la chanteuse Wafa ?

— Non. Pourquoi ?

— Tu n'avais pas pris tes médicaments ?

— Tu sais très bien que je suis mon traitement depuis que nous étions à Salé. Pourquoi tu me demandes ça ?

— Tu es restée longtemps sans connaissance.

Sarah écarta les bras en signe d'ignorance, mais quelque chose dans les hypothèses de son mari clochait. Elle était certaine qu'il prêchait le faux, qu'il avait d'autres idées derrière la tête et qu'il continuait de faire diversion pour cacher son manège.

— Je vais dormir dans la chambre d'amis, dit-elle en se retirant de la pièce.


Driss ne dormit pas.

Le matin, à la première heure, il se rendit dans une bijouterie du centre-ville. Le magasin était fermé. Le lieutenant prit son petit déjeuner dans le café d'à côté en attendant. Vers 9 heures, il entendit le rideau de fer de la boutique se lever. Driss ne laissa pas le temps au bijoutier de s'installer derrière son comptoir. Il lui tendit le bouton de manchette que Farid avait trouvé sous la commode dans la chambre à coucher.

— C'est pour une expertise.

Le bijoutier le prit et se retira dans son arrière-boutique.

Il revint cinq minutes plus tard.

— Je n'ai pas les moyens de vous l'acheter, monsieur.

— Il n'est pas à vendre, le rassura Driss. Je voulais savoir si c'est du toc ou pas.

— Du toc, ça ? s'exclama le bijoutier. C'est un vrai joyau, un Boucheron pur et dur, monture en platine sertie de diamants, émeraude 17 carats.

— Il vous arrive d'en vendre ?

— Je suis un petit bijoutier. J'importe rien. J'achète à des particuliers, souvent de l'or cassé. Mes clients ne se baladent pas avec ce genre de produit.

— J'ai perdu l'autre bouton. Où peut-on en trouver ?

— Place Vendôme, à Paris, plaisanta le bijoutier.

— Il n'y a pas une bijouterie grand luxe à Tanger ?

— Sans doute, mais votre bijou va chercher dans les sept à huit mille euros la paire, et je ne vois pas qui pourrait en exposer dans sa vitrine sans se porter le mauvais œil. Vous êtes allé chez Haddou, à Sahat el-Omam ? Lui, il est costaud. Il pourrait vous renseigner mieux que moi.

Driss nota l'adresse de Haddou, remercia le bijoutier et fonça à Sahat el-Omam, sur le grand boulevard.

Le magasin de Haddou était plus grand et mieux illuminé. L'intérieur étincelait autant que les trésors enguirlandant la devanture. Le gérant, un playboy gominé avec un piercing à l'oreille et une coupe de footballeur, était occupé à montrer ses écrins veloutés à deux dames qui n'arrivaient pas à choisir entre une rivière de diamants Diveene et un magnifique collier de perles Maty.

— Essayez-les sur vous, madame. Vous avez le port altier. Je suis certain qu'ils vous iront comme un gant.

— Ils ne sont pas trop imposants ?

— Le Maty est impressionnant.

— Ma belle-sœur a le même.

— Alors, prenez le Hermès.

— J'en ai deux à la maison.

Driss prit son mal en patience pendant une dizaine de minutes puis, n'en pouvant plus, il se faufila entre les deux dames.

— Police, dit-il. C'est urgent.

— On était là avant vous, protesta la plus âgée des deux dames.

— Désolé, mais je n'ai pas toute la journée. Rentrez chez vous vous concerter, une fois votre choix fixé, revenez avec votre chéquier.

Les deux dames levèrent le nez au ciel et sortirent du magasin, pareilles à deux douairières quittant la cour princière parce qu'un va-nu-pieds a foulé le même tapis rouge qu'elles.

— Vous savez qui sont ces deux femmes ? l'apostropha le bijoutier, outré. L'épouse du gou-verneur et sa bru. Mes meilleures clientes.

— Je suis sincèrement navré. Je suis en mission spéciale et ma hiérarchie attend mon rapport depuis une semaine. Ces dames reviendront, assu-rément. Mais moi, c'est ma carrière qui est dans le collimateur.

Le bijoutier consentit à lui pardonner sa gou-jaterie.

— Que puis-je pour vous ?

Driss lui remit le bouton de manchette.

— On cherche l'autre bouton. Où puis-je en trouver ?

— Ça se vend par paire, voyons.

— Je sais. C'est un Boucheron…

— Je connais mon métier, le coupa le bijoutier avec fatuité. Je distingue les grandes marques au premier coup d'œil. (Il examina le bouton de manchette à travers une minuscule loupe.) Ce bijou n'a pas été acheté dans nos boutiques. Nous sommes les seuls à Tanger à vendre des joyaux de cette qualité, et celui-là ne figure pas sur nos cata-logues.

— Vous êtes sûr ?

— Aussi sûr qu'aucun maçon n'ira au paradis.

Il se remit à mirer le bijou.

— Il a été réparé.

— Ah bon ?

— Oui, je vois la trace d'une soudure très bien faite, là, juste sous le support de l'émeraude. Un travail de haute précision. Remarquable, chapeau !

— Vous faites des réparations ?

— Nous les confions à un artisan émérite. Il n'y en a que deux de cette trempe, à Tanger. Les meilleurs du pays. Le nôtre est sur le boulevard Pasteur, au 93. L'autre, au coin de la rue Bella Vista.

Driss griffonna les deux adresses dans son calepin, s'excusa du désagrément causé aux deux dames et regagna sa voiture.

L'artisan sur le boulevard Pasteur était un jeune homme sobre et calme, aux allures de préposé aux pompes funèbres. Il portait un costume noir col Mao et des gants blancs. Il semblait prendre très au sérieux son métier, entouré d'un tas d'outillages aussi étincelants que les instruments chirurgicaux que l'on voit dans les blocs opératoires. Il jeta à peine un coup d'œil sur le bouton de manchette.

— Je n'ai jamais eu ce bijou entre les mains.

— Peut-être votre assistant ?

— Je n'ai pas d'assistant. Je me souviens de tous les bijoux que je répare. Le vôtre ne me dit rien.

Driss n'insista pas.

La roideur du gars, sa voix d'outre-tombe et son regard vitreux avivèrent la susceptibilité superstitieuse du lieutenant – pressentiment qui se révéla juste lorsque, en rangeant sa voiture au coin de la rue Bella Vista, il trouva la boutique du second artisan fermée.

— Haj Yallel est parti au bled marier sa fille, lui confia un voisin.

— Il rentre quand ?

— Peut-être dans une semaine ou deux.

Il était midi passé. Driss fit escale dans un bar. Il commanda une bière et téléphona à l'inspecteur Brik qui était de permanence la nuit du 8 au 9 avril.

— Est-ce que je peux passer te voir ?

— Je suis en congé, lui répondit l'inspecteur. C'est à quel sujet ?

— Un sujet qui ne se traite pas au téléphone.

Il y eut un silence au bout du fil.

— Tu es là ?

— Oui, oui... Est-ce urgent ?

— J'aurais dû t'en parler plus tôt, mais j'avais la tête ailleurs.

De nouveau, le silence au bout du fil, puis :

— Vous êtes où, exactement ?

— Dans un bar, sur la Bella Vista.

— Le Liban ?

— Dans un bar moins chic, face à la BNP.

— Je vois où c'est. Bon, je ne suis pas loin. J'arrive dans un petit quart d'heure.

L'inspecteur Brik mit moins de dix minutes pour se manifester. Il était en jean et baskets, une casquette à longue visière à ras des sourcils. C'était un bon gars, courtois et honnête que Driss appréciait beaucoup.

— J'ignorais que tu étais en congé.

— Je ne pars que demain pour Oujda.

— Merci d'être venu.

— Pas de quoi.

— Tu veux boire quelque chose ?

— Non, merci. Je jeûne, aujourd'hui.

— Ça t'ennuie si je garde ma bière ?

— Je suis pieux, pas intégriste.

— Écoute, enclencha le lieutenant, je ne veux pas te retenir longtemps. Tu étais de permanence, la nuit où ma femme et moi avons été agressés. Tu as porté sur ton registre un appel de détresse vers 2 heures du matin.

— 1 h 54 précisément. Un appel de chez vous. Le numéro de votre téléphone fixe s'est affiché sur le cadran du standard. Pourquoi cette question ?

— Je ne me souviens pas d'avoir appelé qui que ce soit, cette nuit-là. J'avais reçu un coup sur la tête. À mon réveil, des policiers étaient dans ma chambre. Ma femme était sans connaissance. On l'avait recouverte d'un drap. J'ai essayé de la réveiller. Elle ne répondait pas. Puis, l'ambulance est arrivée. Je ne me rappelle plus la suite. J'ignore si je suis allé à l'hôpital avec ma femme et…

— Si, vous êtes bel et bien allé à l'hôpital. En état de choc. Le médecin a été obligé de vous administrer un sédatif tellement vous étiez agité.

— Je ne m'en souviens pas. La question qui me taraude le plus, c'est comment ai-je pu alerter la permanence et retomber aussitôt dans les vapes. Ça ne me rentre pas dans le crâne. Tu es sûr que c'était bien ma voix ?

— D'après le standardiste, oui. J'ai aussitôt dépêché une patrouille et une ambulance chez vous. Le chef de patrouille m'a appelé dès qu'il est arrivé sur place pour me confirmer l'agression. La porte de votre maison était ouverte. Votre femme et vous étiez sans connaissance. J'ai informé aussitôt le commandant qui m'a ordonné de me rendre sur les lieux afin de lui faire un rapport détaillé. Ce que j'ai fait.

— Ça aurait pu être la voix de quelqu'un d'autre ?

— Ça me semble peu probable, lieutenant. Qui d'autre aurait pu appeler en dehors de vous ? L'agresseur ? Un voisin qui aurait été témoin de l'agression ? Pourquoi se serait-il fait passer pour vous ?

— Est-ce que je peux te demander un service, inspecteur ?

— Dans la mesure du possible.

— Tu pars en congé pour combien de jours ?

— Pour 78 heures.

— Ça pourrait attendre ton retour. J'aurais besoin du relevé de mon téléphone fixe. C'est possible ?

— Vous pouvez le demander directement à la poste.

— Je sais, mais je préfère que ça soit quelqu'un d'autre qui le fasse pour moi. C'est très important.

— D'accord. Je m'en occuperai dès mon retour.

Après le départ de l'inspecteur Brik, Driss envoya le garçon lui chercher un casse-croûte chez le marchand de brochettes en train d'attiser les braises de son barbecue sur le trottoir d'en face.

Il ingurgita son sandwich, vida une deuxième bouteille de bière, alluma une énième cigarette en contemplant une ribambelle de mioches tapant dans un ballon rafistolé à même la chaussée. En écrasant sa cigarette dans le cendrier, il surprit le brigadier Farid debout derrière lui.

— On t'a chargé de me filer ou quoi?

— J'ai reconnu votre voiture sur le parking, dit Farid.

Puis, confus, il ajouta :

— Je n'ai pas trouvé le sommeil, cette nuit. Vraiment. Je n'ai pas arrêté de m'en vouloir. Si ma belle-mère n'était pas chez moi, mon épouse aurait passé un sale quart d'heure.

— Elle n'y est pour rien.

— Elle aurait pu me demander si le verre, pourtant bien emballé dans son sachet…

— Assieds-toi et cesse de geindre. Si tu comptes me briser le cœur, tu perds ton temps. J'en ai jusque-là de la poisse qui me colle au train…

Farid occupa une chaise en face de son supérieur, pathétique de remords.

— Tu as déjeuné?

— Je ne pourrai rien avaler. Vous ne pouvez pas savoir combien je m'en veux.

— T'en fais pas.

— Vous pensez qu'il y avait quelque chose d'intéressant au fond du verre ?

— Je ne crois pas. Il s'agit, sans doute, des traces de médicament que ma femme avait pris après mon départ.

— Vous me rassurez. (Il fit signe au garçon.) Un jus d'orange pressée pour moi, s'il te plaît… Il paraît que vous en êtes venu aux mains avec ce fumier d'Alal. À mon humble avis, il faut éviter cet énergumène. C'est qu'un branleur qui se prend pour un étalon. Des emmerdes et des embrouilles, c'est tout ce qu'on récolte avec lui. D'après le planton, il s'est fait rudement taper sur les doigts par le commandant, ce matin.

— Pourquoi tu n'es pas au boulot, Farid ?

— Pardon ?

— Tu as séché la journée d'hier, et tu t'accordes quartier libre aujourd'hui. C'est normal, ça ?

— J'étais au bureau. Je suis sorti déposer mon beau-frère dans le coin. Je comptais retourner à mon poste quand j'ai vu votre voiture sur le parking.

— Arrête de me filer, s'il te plaît.

— Quoi ?…

— Je suis peut-être un peu parano sur les bords, mais j'ai besoin qu'on me lâche les baskets le temps que je retrouve mes repères.

Farid se leva, sidéré et vexé à la fois.

— Autant vous les lâcher tout de suite, vos baskets, lieutenant.

Sur ce, il quitta le bar sans se retourner.

Driss se rendit compte qu'il était allé trop loin.

Il fixa sa bière et se murmura à lui-même :

— Il te faut un bon psy le plus tôt possible, mon pauvre Driss.

## 12.

L'endroit bourdonnait de mouches surexcitées. Une odeur de décomposition viciait l'air, obligeant les trois policiers en uniforme, qui se tenaient un peu à l'écart, à s'abriter derrière des mouchoirs.

Couché sur le ventre, le cadavre était à moitié enfoui dans un buisson. Nu. Menotté. Des zébrures purulentes sur les mollets, les fesses et les épaules.

Avec le bout d'une branche, l'inspecteur Brik tentait de retirer quelque chose sous la hanche du cadavre. Son coéquipier, à peine sorti de l'adolescence, eut un haut-le-cœur et courut dégueuler au pied d'un arbre.

En bas de la colline, sur la route bitumée, une voiture s'arrêta derrière l'ambulance. Le lieutenant Alal en descendit. Il gravit le talus qui menait sur le lieu de la découverte macabre, manqua de se casser la figure à cause d'une pierre qui s'était détachée sous son pied et dut s'agripper aux arbustes pour continuer de monter.

L'inspecteur Brik s'écarta pour permettre à son supérieur de s'approcher de la dépouille.

Alal pressa un Kleenex contre son nez, en gardant ses distances. Il avait toujours eu peur de choper un microbe lorsqu'il était en présence d'un corps en putréfaction.

— Je veux voir son visage.

L'inspecteur invita deux des trois agents en uniforme à retourner le corps. C'était une jeune fille, entre vingt-deux et vingt-cinq ans, de type sahélien, cheveux coupés court, presque à ras. Elle avait la gorge tranchée.

— Tu crois qu'elle est de chez nous ? s'enquit Alal.

— D'Afrique subsaharienne, dit Brik. Une migrante. Je crois qu'il s'agit de la personne qu'un garçon malien nous a signalée comme disparue, il y a une semaine.

— C'est sans doute l'œuvre d'un pervers, maugréa Alal. Il n'y a qu'un malade pour enfoncer un gourdin dans l'anus de sa victime après l'avoir torturée et égorgée. Je crains que nous ayons un tueur en série sur les bras.

— Comment ça ? sursauta Brik, surpris par la déduction expéditive de son chef.

— On a peut-être affaire au même violeur qui s'est attaqué à Sarah Ikker.

Brik préféra s'intéresser au cadavre. Il ne connaissait que trop les raccourcis que prenait souvent son chef pour bâcler une enquête.

Driss s'étiolait dans son bureau lorsque le téléphone retentit. Il décrocha à la première sonnerie, comme s'il attendait un appel capital. En vérité, il n'en pouvait plus de ruminer ses noires pensées, coincé dans un bureau empestant la cigarette où même le planton ne se hasardait plus.

— Oui ?

— C'est Farid… On vient de livrer à la morgue de l'hôpital le cadavre d'une jeune femme assassinée.

— Je ne suis pas médecin légiste.

— Il paraît qu'elle a été sauvagement mutilée, violée et égorgée.

— D'accord.

— Elle était *menottée*.

Driss écrasa sa cigarette dans le cendrier et attendit la suite. Farid, qui pensait susciter une quelconque curiosité chez son chef, patienta une longue minute. Pas de réaction. Seul un souffle saccadé cadençait le bruit de friture au bout du fil.

— Lieutenant ?

— Je t'écoute.

— La victime était menottée.

— J'ai entendu.

— Ben…

— Ben quoi ?

— Je ne sais pas, moi, s'embrouilla Farid. C'est peut-être un indice… Alal pense qu'il pourrait s'agir de l'agresseur de…

— Lève le pied, brigadier.

— C'est juste que j'ai trouvé ça intéressant, cette histoire de menottes.

— Ce que je trouve intéressant dans la vie, mon pauvre Farid, c'est l'empressement des gens à prendre pour argent comptant tout ce qu'on leur balance à la figure. À cette allure, dans une génération ou deux, les êtres humains naîtront sans cervelle et sans conscience. Ils auront, à la place, une puce électronique pour qu'ils relaient, les yeux fermés, n'importe quelle rumeur.

— Vous croyez ?

— J'en mettrais ma main au feu. L'Homme s'est abruti à l'instant où il a renoncé à sa jugeote en confiant son libre arbitre aux manipulateurs. Tu n'as pas remarqué une chose ? Lance n'importe quelle énormité dans la rue, la plus invraisemblable ou la plus saugrenue, et tu verras le monde entier se charger de la colporter jusqu'au bout de la terre en se foutant royalement de se couvrir de ridicule. Si tu ne veux pas être emporté à ton tour par la crue, tâche de vérifier par toi-même ce que l'on te propose comme sainte vérité, et n'aboie plus avec la meute si tu ne tiens pas à être dévoré par elle au moindre fléchissement.

En raccrochant, le brigadier Farid en était archicertain : son chef était en train de négocier un sacré virage mental – sauf qu'il ignorait s'il s'agissait de schizophrénie ou de dépression.

Les deux préposés à la morgue mordaient dans leurs sandwiches à proximité d'un cadavre drapé sur le billard. Ils étaient d'un certain âge, l'un avec les tempes grisonnantes et la moustache fournie, l'autre trapu sous sa tonsure de moine.

Le moustachu racontait :

— On ne mangeait que des figues de Barbarie. Matin et soir. À la fin, on était tellement constipés qu'en nous forçant pour déféquer, l'un de nous s'est fait péter le nerf optique de l'œil droit.

— Je te crois pas, dit l'autre dans un hennissement.

— Je te promets que c'est la vérité. Le gars est devenu borgne d'un coup.

— Et toi ?

— Moi, j'ai traîné une fissure anale pendant des années.

Des bruits de pas dans le couloir obligèrent les deux infirmiers à cacher le reste de leurs sandwiches dans la poche de leur tablier et à rajuster leur attitude. Les battants de la chambre froide s'écartèrent sur l'inspecteur Brik, flanqué d'un adolescent noir en survêt fripé et en baskets déchirées.

On découvrit le haut du cadavre.

L'adolescent se prit le visage dans ses mains, tituba ; l'inspecteur le ceintura pour l'empêcher de s'écrouler.

— C'est elle ?

Le garçon ne parvint pas à libérer un son ; il était choqué, sur le point de s'évanouir. Il fit oui de la tête. Des larmes lui roulèrent sur les joues.

L'inspecteur le serra contre lui pour le réconforter.

Le lieutenant Ikker tint à assister à la déposition du garçon. Ce dernier déclara s'appeler Adama, de nationalité malienne, qu'il avait quinze ans et qu'avec sa sœur Aminata, il voulait rejoindre l'Europe. Ils étaient au Maroc depuis sept mois, à se faire arnaquer par les passeurs et à végéter au jour le jour. Il raconta que sa sœur se faisait maquer par un certain Ashoa, une brute burkinabée qui rackettait les migrants et tabassait ceux qui n'avaient rien à lui offrir.

Alal était là, dans le bureau de l'inspecteur Brik qui tapait lui-même sur son ordi la déposition du garçon.

— Pourquoi Ashoa a assassiné ta sœur?

— Parce qu'elle allait le dénoncer à la police. Aminata ne voulait pas se prostituer. Ashoa avait construit dans les bois une tente avec de la bâche récupérée sur les chantiers. Et c'est dedans que ça se passait. Lorsque je suis allé le voir pour qu'il fiche la paix à ma sœur, Ashoa m'a saigné avec un couteau. (Il souleva la veste de son survêt pour montrer une cicatrice de plusieurs centimètres sur son dos.) Il a dit que c'était juste l'entrée et que si je la bouclais pas, le plat de résistance serait salé.

— Où peut-on trouver ce salopard? lui demanda l'inspecteur Brik.

— Ça fait une semaine qu'il a disparu. Chaque jour, j'allais du côté du repaire d'Ashoa pour voir Aminata. Puis j'ai plus revu Aminata. Quand j'ai demandé aux hommes d'Ashoa où était passée ma sœur, ils n'ont rien voulu me dire. J'ai compris à leur façon de m'éviter que quelque chose était arrivé. C'est pourquoi je suis venu signaler la disparition de ma sœur à la police.

— Il est comment, Ashoa ?

— Il est très grand, avec une oreille tordue. Il boite un peu (Alal eut un sursaut qu'il réprima aussitôt) parce qu'il a une jambe plus courte que l'autre. Ses dents de devant sont cassées et il a un tatouage sur le bras, un couteau avec un serpent autour.

L'inspecteur Brik demanda d'autres informations sur le secteur où opérait l'assassin, entoura d'un cercle rouge l'endroit en question sur une carte punaisée au mur. Pendant qu'Alal emmenait le garçon dans un autre bureau, Driss se tourna vers l'inspecteur.

— Il paraît que la victime était menottée.

L'inspecteur extirpa d'un tiroir un sac en toile et le présenta au lieutenant.

— Elles sont là-dedans.

C'étaient des menottes artisanales toutes rouillées et grossièrement bricolées, les maillons raccordés les uns aux autres avec du fil de fer : ce n'étaient pas celles qu'il avait entrevues autour des poignets de son épouse, la nuit du viol.

L'assassin d'Aminata fut arrêté deux jours plus tard, à la tombée de la nuit. Il s'apprêtait à squatter un container sur l'aile désaffectée de la gare. Au début, il nia en bloc, ensuite, il finit par avouer.

Driss exigea d'assister à l'interrogatoire afin de s'assurer que les aveux ne résulteraient pas d'une séance de torture. Le meurtrier déballa tout, jusqu'au moindre détail, expliqua aux enquêteurs qu'Aminata était tombée enceinte et qu'elle menaçait de le dénoncer à la police. À la question de savoir pourquoi il s'était acharné avec une rare barbarie sur sa victime, il répondit simplement :

— Pour que ça serve de leçon aux autres filles.

À l'issue de cette arrestation, onze filles soumises à la prostitution forcée, toutes originaires de l'Afrique subsaharienne, furent libérées par les forces de police : elles étaient séquestrées dans des abris de fortune sur les collines. Certaines étaient malades, déshydratées par la dysenterie, d'autres portaient des traces de sévices et crevaient de faim.

Pour le lieutenant Alal, qui espérait avoir mis le grappin sur le violeur de Sarah, ce fut une catastrophe.

# 13.

— Quelle tête d'orpheline tu nous fais là, ma chérie! déplora Narimène, sur le pas de la porte.

Sarah s'écarta pour laisser entrer l'épouse du commissaire Rachid Baaz.

Les deux femmes s'embrassèrent sur les joues dans le vestibule.

Narimène tenait une boîte joliment ficelée dans une main; de l'autre, elle saisit Sarah par le menton et lui tourna le visage vers la lumière.

— Tu t'es regardée dans une glace? On dirait que tu jeûnes depuis des mois.

— C'est pas faux, avoua Sarah en conduisant la visiteuse dans le salon.

— Un fantôme a meilleure allure que toi, ma pauvre chérie. Qu'as-tu fait de ta grâce de vestale?

— Je l'ai oubliée en chemin.

— En plus, tu déprimes. C'est pas bon, ça. Ressaisis-toi, voyons. Qui n'a pas de soucis, de nos jours? Est-ce une raison pour renoncer aux joies de ce monde?

Elles s'installèrent sur les bancs matelassés, recouverts de velours grenat, déployés le long des murs dans la pure tradition marocaine. Une gazelle empaillée se vautrait sur un tapis berbère, entre un samovar argenté et un quinquet géant.

Narimène posa sa boîte sur une table basse en fer forgé.

— Je nous ai apporté une superbe tarte de Chez Ghizou.

— Merci, mais je n'ai pas grand-chose à t'offrir. Mon frigo est vide.

— Pourquoi ?

— Driss oublie de faire les courses. Il préfère manger dehors, et moi, je suis obligée de commander des pizzas.

Narimène sortit son téléphone, appela son domestique et lui ordonna d'aller immédiatement au souk s'approvisionner en fruits et légumes, d'acheter de la viande chez le boucher habituel et de la rejoindre chez les Ikker.

— Il ne fallait pas le déranger, dit Sarah d'une voix fatiguée.

— Il est payé pour ça… Quel étourdi, ton jules. Et quel égoïste… J'espère que tu as au moins de l'eau courante chez toi ?

Sarah sourit.

— Voilà qui fait plaisir à voir, la félicita Narimène. Un sourire, ça ne coûte pas grand-chose, mais ça vaut toutes les étoiles du ciel… Bon, ne bouge pas. Je vais nous préparer un thé dont tu me diras des nouvelles.

— J'ai encore la force de vaquer à mes occupations.

— Je n'ai pas dit que tu étais mourante. On parle de thé, et je suis fille du désert. Personne, au monde, ne réussit le thé mieux que les gens du Sud.

Les deux femmes se rendirent dans la cuisine. Pendant que Narimène faisait chauffer l'eau dans une bouilloire électrique, Sarah sortit dans le jardin cueillir quelques tiges de menthe.

— C'est encore mieux, avec la menthe fraîche.

— Je ne peux pas m'en passer. Dans l'appartement que j'occupais à Casa, j'en cultivais dans des pots sur le balcon.

— Hélas, moi, j'achète mes légumes au marché. J'aimerais bien les cultiver moi-même, chez moi. Ce n'est pas l'espace qui manque. Mais les snobs d'ici trouvent qu'un jardin potager, ça fait péquenot…

La bouilloire se mit à siffler.

Narimène dit :

— Je t'ai attendue, jeudi. Il n'y avait que des filles bien, je t'assure. Wafa nous a gratifiées d'un récital époustouflant.

— J'aurais gâché la fête avec ma mélancolie.

— Au contraire, ça t'aurait fait grand bien. Et puis, tu avais promis.

— Qu'est-ce qu'une promesse, sinon un engagement qu'on n'est pas censé tenir ?

Elles retournèrent dans le salon, une théière fumante sur le plateau. Narimène coupa deux tranches dans la tarte. Elles burent quelques gorgées de thé en silence et ensuite, s'essuyant les lèvres sur un bout de serviette brodée, l'épouse du commissaire posa un regard inquiet sur celle du lieutenant.

— Je me fais du souci pour toi, ma chérie. C'est monstrueux de rester recluse dans une maison où il n'y a personne pour te tenir compagnie. Ne laisse pas le chagrin gérer tes peines, il te détruira plus vite qu'une grippe aviaire. On t'a agressée, d'accord, mais pourquoi prolonger l'épreuve ? Toutes les femmes sont violées d'une manière ou d'une autre, avec ou sans leur consentement. Parfois, j'ai la migraine, je suis exténuée après une rude journée, parfois je n'ai pas envie qu'on me touche, pourtant, je suis sommée de lever les jambes en l'air très haut et, par moments, d'écarter moi-même mes fesses.

— Ce n'est pas la même chose.

— C'est la même chose, sauf que les contextes sont différents… Écoute, ma chérie, je suis venue te rappeler que tu n'es pas seule, que tu as une amie qui t'aime autant qu'elle aimerait sa petite sœur. Ça m'afflige de te savoir malheureuse. La vie ne s'arrête pas à un incident, aussi grave soit-il. Tu dois reprendre goût aux choses de ce monde et aller de l'avant. Ce soir, il y a la diva algérienne Nassima qui donne un concert andalou au théâtre Darna. J'ai deux cartons d'invitation, rien que pour toi et moi. Après, si tu veux, nous irons dîner à la Posada del Hafa.

— Je n'ai même pas le courage de sortir sur mon propre balcon, Narimène. Dès que je montre le nez dehors, j'ai le sentiment que tout Tanger me plaint.

— Qu'ils aillent au diable, les voyeurs. Ce qui est fait est fait. Tu n'allumes pas la télé ? Il y a des stars internationales qui n'hésitent pas à parler des viols dont elles ont fait l'objet devant des millions de téléspectateurs, des célébrités qui racontent l'inceste dont elles ont été victimes. Les gens compatissent à leur malheur, se mobilisent pour les soutenir et pour les aider à se reconstruire.

— Pas chez nous, avec nos mentalités médiévales.

— Je ne te demande pas de crever l'écran, mais de crever l'abcès, ma chérie. Ton plateau, c'est moi, ce sont tes proches, les gens qui t'aiment. Tu n'as pas à faire tienne la honte qui incombe au salaud qui t'a souillée. On ne culpabilise pas quand on est une victime.

— Sur quelle planète vis-tu, ma chère Narimène ? La femme est toujours coupable d'être la victime, et ça ne date pas d'hier.

— N'empêche. Le monde marche à l'envers, je n'en disconviens pas, mais il nous revient, à nous les femmes, de le remettre à l'endroit.

— Je ne suis pas prête pour les révolutions.

— Tu ne le seras jamais pour quoi que ce soit si tu renonces à te battre.

— Tu crois que je n'ai pas essayé ? Chaque matin, quand je me lève, je me dis : mords dans le soleil, fille des Chorafa, et serre très fort les dents pour ne pas concéder la moindre miette au sort qui t'a frappée. Mais dès que je vois la tête qu'affiche Driss, je laisse tomber. Dans ce genre de combat, on a besoin d'alliés, et Driss ne m'aide pas. Il s'est renfermé sur lui-même, et ça anéantit mes efforts.

— Driss est un homme, et les hommes ne mesurent pas les choses à leur juste portée. C'est toi qui as été violée, mais c'est lui qui croit en souffrir le plus. Ta chair profanée ne pèse pas lourd devant son pseudo-honneur. Je suis au courant de ses errements. Rachid a beau le ménager, ton mari persiste à se complaire dans son statut de victime expiatoire…

— Je ne lui en veux pas, l'interrompit Sarah. Ce n'est pas un mauvais gars, je t'assure. Il a toujours été gentil avec moi. Il souffre parce qu'il n'arrive pas à accepter. C'est à cause de moi, et non à cause de son honneur, qu'il ne sait où donner de la tête.

— Je te trouve plus naïve qu'indulgente, ma chérie. Tous les hommes se valent. Ils nous prennent pour leur bien, et non pour des personnes à part entière. Pour certains d'entre eux, que l'on soit violée ou que leur voiture soit taguée, c'est du pareil au même.

— Tu exagères. Je ne peux pas être d'accord avec toi.

Narimène lui prit les deux poignets avec tendresse.

— Qu'à cela ne tienne. En ce qui nous concerne, toutes les deux, Driss n'est pas à l'ordre du jour puisque c'est de toi qu'il s'agit. Je veux que tu sortes la tête de l'eau, que tu puises dans l'air libre de quoi dépolluer ton âme. Tu n'as pas le droit de t'emmurer dans ta solitude. Ce soir, nous irons assister au concert de Nassima.

— J'aimerais bien mais je ne peux pas.

— Pourquoi ?

— Je me vois mal faire la fête avec le cœur en charpie.

— Tu vas venir avec moi, tu entends ? Je ne quitterai pas cette demeure sans toi, je t'avertis. Tu sais combien je suis têtue.

Sarah récupéra ses mains, les massa un peu car l'étreinte de Narimène lui avait fait mal.

— Il faut que tu te bouges, Sarah. Prouve-toi que tu es vivante.

Sarah plissa les yeux autour d'une lointaine pensée en répétant « vivante » dans un chuchotement imperceptible.

— Tu as probablement raison, admit-elle après une profonde méditation. J'ai le sentiment de me dissoudre dans le noir. Il faut que je me dégage de ce trou.

— Voilà qui est sage, ma chérie. On va écouter de la belle musique et nous laisser bercer par la voix céleste de Nassima. Il n'y a pas meilleure thérapie qu'un concert andalou. Tu verras, ça va te remettre d'aplomb en moins de deux.

— Il va le prendre comment, Driss ?

— On s'en moque. Il n'a qu'à en faire autant de son côté. Qu'il aille retrouver ses copains dans les bars ou prendre son pied ailleurs. C'est son problème, pas le nôtre. (Elle lui reprit les poignets.) Au fait, vous vous êtes remis à coucher ensemble ?

— Pas encore.

— Qu'est-ce que vous attendez… ?

— Driss n'est pas prêt.

— Comment est-ce possible ? Il est aveugle ou quoi ? Un canon comme toi réveillerait un mort dans sa tombe. (Elle la considéra de guingois, un sourcil plus haut que l'autre.) Dis-moi franchement, ma grande, ton mari ne serait-il pas un peu… ?

Sarah éclata de rire, à la grande joie de son amie.

— Mais non. Qu'est-ce qui te fait supposer une chose pareille ?

— Y a de quoi se poser la question ! Tu rendrais lesbienne une respectable mère de famille.

Sarah rit encore.

Elle dit :

— Driss est tout à fait normal, sauf qu'il n'est pas trop accro au sexe.

— Ça ne m'étonne pas. Il vient de l'arrière-pays. Dans son douar, on passe plus de temps à se tripoter qu'à chercher à situer le point G.

— Arrête avec tes obscénités, Narimène, la pria Sarah, écarlate de gêne. Il n'y a pas que le sexe. J'aime mon mari et je suis heureuse avec lui.

— Qu'est-ce que tu radotes, mon petit chaperon rouge ? Le sexe est la base de tout. Tu dois absolument amener ton mari à te faire l'amour. Ce n'est que de cette façon que tu as des chances de l'éveiller à lui-même. S'il te tourne le dos sous la couette, tu lui passes par-dessus le corps et tu te mets de nouveau en face de lui, les yeux dans les yeux. Un couple ne repose pas que sur l'entente, ma chérie. Les rapports sexuels en sont le bassin d'irrigation. Si tu fermes les vannes, ton oasis se meurt et s'estompe comme un mirage.

Driss pensa au pire en trouvant la maison plongée dans le noir. Il alluma dans le vestibule, appela son épouse. N'obtenant pas de réponse, il gravit quatre à quatre les marches de l'escalier qui menait au premier. Sarah se serait-elle overdosée avec ses antidépresseurs ?

La chambre était impeccablement rangée, mais il n'y avait personne. Il chercha dans les autres pièces où Sarah se réfugiait parfois un roman à la main, descendit au rez-de-chaussée, le cœur en déroute. Il y avait des sacs de provisions sur le plan de travail de la cuisine, deux verres et une théière dans l'évier, une tarte entamée sur un plateau. Quelqu'un était donc passé pendant qu'il était au boulot. Il consulta sa montre : 22 h 15. Où était Sarah ? Pourquoi ne lui avait-elle pas téléphoné pour lui dire qu'elle s'absentait ? Driss se demanda si sa femme ne s'était pas plainte à sa mère, et si cette dernière n'était pas venue la chercher pour l'emmener à Kénitra. El Hajja était capable de débarquer à l'improviste, de pousser sa fille dans une voiture sans qu'elle ait besoin d'en rendre compte à qui que ce soit.

Driss était tellement dérouté qu'il ne fit pas tout de suite attention au papier collé sur le frigo. Il fut soulagé quand il le remarqua enfin.

*Je suis sortie avec Narimène. Je risque de rentrer tard.*
*Ton repas est dans le four.*

En guise de signature, l'empreinte d'un baiser.

Driss se déshabilla pour prendre une douche. Il resta une éternité sous l'eau brûlante. Enveloppé dans un peignoir-éponge, il grignota quelques biscuits dans la cuisine avant de s'installer dans le salon. Il s'empara de la télécommande, zappa tous azimuts sans tomber sur une émission susceptible de l'intéresser, éteignit la télé et monta se coucher. Il ne parvint pas à fermer l'œil, fuma une cigarette au lit, puis une deuxième sur le balcon, se rhabilla et sortit se changer les idées.

Il marcha jusqu'en bas de la rue. La nuit était belle et douce. Des familles dînaient sur leur véranda. Quelques jeunes insomniaques tétaient des joints à l'abri des porches. Des rires fusaient par endroits, supplantés de temps en temps par les vagissements d'un nourrisson ou les menaces d'un pépé agacé par le chahut des mouflets…

Driss remonta chercher sa voiture dans le garage. Il mit un CD des Frères Megri dans le lecteur et roula au hasard à travers les boulevards.

Sans s'en apercevoir, il traversa la ville d'un bout à l'autre et se surprit sur la route menant à la plage Merkala. Il se rangea sur le bas-côté pour contempler les navires en rade. L'embrun floutait les lumières des bateaux.

Driss alluma le plafonnier, sortit de sa poche le bouton de manchette et le posa dans le creux de sa main, le visage fermé comme une huître.

En rentrant à la maison, il trouva Sarah qui l'attendait dans la chambre. Elle était en robe de nuit. Sa silhouette se découpait nettement contre la lumière tamisée de l'abat-jour derrière elle. D'une main lascive, elle dénoua la sangle soyeuse qui la ceinturait. Sa robe glissa par terre, dévoilant la magnifique sculpture de son corps. Driss n'eut pas la force de la repousser lorsqu'elle s'avança sur lui. Il la saisit avec une rage animale, la jeta sur le lit, la retourna sur le ventre et la posséda violemment. Sarah le laissa se défouler sur elle, en serrant les dents, des larmes de douleur sur les joues. Elle eut l'impression qu'il la violait car jamais Driss ne l'avait prise de cette façon.

## 14.

Se rendre chez la chanteuse Wafa, c'était comme entrer dans un conte des *Mille et Une Nuits* et refermer le livre derrière soi. Dès que l'on franchissait le pas de sa porte, on était projeté à travers une galerie féerique, fleurant bon l'encens et le pavot traité.

C'était la première fois que Slimane Rachgoune se rendait chez l'artiste. Il avait entendu dire que Wafa était extravagante, qu'elle traversait les âges et les folklores telle une météorite, qu'elle était déesse hindoue le matin, sultane d'Arabie l'après-midi et prêtresse d'Héra le soir, mais il était loin de s'attendre au naturel déroutant avec lequel elle évoluait dans son monde parallèle.

Le portier en tunique d'eunuque ottoman se courba à toucher le sol avec son menton, montra d'un geste théâtral l'allée bordée de rosiers et se dépêcha de conduire le secrétaire du commissariat central jusqu'à une grille où un autre domestique, déguisé en Aladin, prit le relais. Slimane n'en croyait pas ses yeux. La demeure de la chanteuse était une palmeraie enchanteresse peuplée de papillons multicolores et de bruissements quiets. Un couple d'antilopes se dorait au soleil dans un enclos ; un fennec arpentait sa cage à proximité d'un python albinos enfermé dans un terrarium ; un cygne paradait au milieu d'une piscine jonchée de nénuphars fabuleux ; deux perroquets se raclaient le gosier sur leur perchoir – il ne manquait qu'une girafe pour que l'arche de Noé lève l'ancre. Slimane était sidéré. Il connaissait la majorité des grosses fortunes de la ville, leurs palais et leur faste, mais c'était bien la première fois qu'il avait l'impression de remonter le temps.

Aladin s'arrêta devant une autre grille, montra le chemin au visiteur et s'éclipsa plus vite qu'un tour de magie.

Entourée d'une valetaille obséquieuse à l'affût d'un signe ou d'un ordre, la diva de Tanger se prélassait sur un coussin, au cœur de son jardin paradisiaque, un sari volatil sur son corps de sirène, un calumet entre ses doigts fuselés que prolongeaient des ongles interminables étincelants de vernis. Un colosse noir, tout en muscles torsadés, lui massait les chevilles tandis qu'à l'ombre d'un parasol blanc, une espèce de bonze droit sorti d'une fumerie d'opium grattait une cithare, les yeux révulsés de béatitude.

Slimane toussota dans son poing pour signaler sa présence ; d'une main mystique, la diva le pria de ne pas la déranger.

Le secrétaire du puissant patron de la police de Tanger patienta longtemps, planté dans un carré de gazon, intimidé et dépité à la fois.

Slimane s'était toujours méfié des artistes et des intellectuels. Il éprouvait une sainte répulsion à l'encontre de ces illuminés qui, au lieu de croquer la lune, passent leur temps à trouver aux étoiles une préciosité qu'elles n'ont pas. D'ailleurs, comment pouvait-il se fier à des êtres excentriques, imbus d'eux-mêmes, pour qui un idéal farfelu vaut mille chantiers rentables – des êtres suicidaires, têtus comme des mules, qui n'hésiteraient pas à croupir dans les basses-fosses des bagnes pour un poème ou un slogan qu'ils déclament à tout-va avec la ferveur mortifère d'un gourou ânonnant ses prophéties. Slimane était un homme de son époque, méthodique, concentré et pragmatique, pour qui le temps est sonnant et trébuchant et l'existence une simple histoire de troc et de placement. Il ne se souvenait pas de s'être entretenu avec quelqu'un sans investir un sou quelque part. Mais s'il avait privilégié les rencontres lucratives, il redoutait celle qu'il avait été chargé de faire en cette fin de matinée. Non seulement son interlocutrice n'aurait pas un morceau de sucre à lui donner, pis, elle pourrait causer sa perte car elle avait le bras long et la langue aussi foudroyante que celle du caméléon.

Le bonze termina sa partition, posa avec précaution la cithare sur une sorte de chevalet et attendit les ordres avec une pathétique humilité.

— C'était très bien, Himèche, bravo.

— *Lalla moulati* voudrait-elle une autre partition?

— Plus tard, plus tard. Tu peux disposer, maintenant.

Le musicien joignit ses mains sous son menton et se retira à reculons, aussi furtif qu'un djinn battant en retraite.

La diva téta son calumet, envoya un jet de fumée en l'air et, appuyée sur un coude, elle daigna enfin se tourner vers le secrétaire.

— J'ai pourtant été très claire avec le gouverneur. Il a promis de m'envoyer le commandant de la police en personne, dit-elle, désappointée.

— Le commissaire a eu un empêchement de dernière minute, madame. Il m'a chargé de le remplacer.

— Vous êtes en train de vous enfoncer, jeune homme. Dois-je comprendre qu'il existe des tâches prioritaires et que mon problème n'en fait pas partie?

— Ce n'est pas ce que je voulais dire, madame.

— Alors, surveillez votre langage si vous tenez à ne pas perdre l'usage de la parole pour de bon. J'ai insisté auprès du gouverneur pour qu'il charge le commandant de la police en personne de s'occuper de mon affaire. Et j'ai horreur que l'on me serve du café lorsque je réclame du thé.

— Le commissaire vous présente toutes ses excuses, madame…

— Vous êtes… ? l'interrompit-elle, agacée.

— Son secrétaire particulier, madame, Slimane Rachgoune, pour vous servir.

Elle le dévisagea, l'air de s'attarder sur un spécimen botanique présumé vénéneux, avant de lui désigner à contrecœur le coussin qu'occupait le musicien.

— Je préfère rester debout, madame. J'ai mal aux genoux.

— Dans ce cas, asseyez-vous sur la chaise en osier, le somma-t-elle. Je déteste que l'on me prenne de haut.

— Je ne me le permettrais pas, madame.

— Je parle de ma position, jeune homme. Je n'aime pas lever les yeux sur le menu fretin.

Slimane s'exécuta avec une promptitude qui l'étonna lui-même. Lui qui avait l'habitude de snober les riches et de se montrer grossier avec les puritains et hautain avec les parvenus se surprit en train de se diluer dans sa propre transpiration. C'est normal, pensa-t-il pour garder un semblant d'estime de lui-même : la diva entretenait des rapports privilégiés avec Sa Majesté. Nul ne pouvait se permettre un lapsus avec elle sans se couper la langue dessus.

— Savez-vous, monsieur Rachgoune, pourquoi le monde va à la dérive ?

— Non, madame.

— C'est parce que le respect n'est plus observé nulle part de nos jours.

Slimane ne parvint pas à déglutir à cause de sa pomme d'Adam qui venait de se coincer dans sa gorge.

— On ne respecte ni le poète ni le musicien ni le comédien.

Slimane se contenta d'acquiescer de la tête.

— Au théâtre, des incultes bavardent derrière vous et vous empêchent d'écouter ce qui se dit sur scène. Au cinéma, vous passez votre temps à surprendre des gens en train de se peloter dans le noir sans accorder le moindre intérêt au film. À l'exposition d'un peintre éminent, vous vous retrouvez au milieu d'un contingent d'affamés qui s'est déplacé uniquement pour profiter de la collation. N'est-ce pas désespérant ?

— Absolument, madame.

Elle claqua des doigts. Un valet surgit devant elle comme par enchantement, un plateau argenté sur sa main gantée de soie.

— Une orangeade, monsieur Rachgoune ?

— Je ne voudrais pas abuser de votre hospitalité, madame.

— C'est un cocktail de mon invention, insista-t-elle.

— Dans ce cas, j'accepte volontiers.

Elle le laissa goûter à sa décoction magique, chassa du revers de la main le larbin et se trémoussa langoureusement sur son coussin.

— Quel est le pire des outrages, monsieur Rachgoune ?

Le secrétaire avala de travers, manquant de se déboîter la glotte.

— Pardon, madame ?

— Quel est le pire des outrages ?

Slimane actionna sa jugeote, fit plusieurs fois le tour de la question, ne réussit qu'à accélérer le débit de ses transpirations. Il se demanda dans quel attrape-nigaud il était en train de s'enliser et maudit le commissaire de l'avoir ainsi piégé, persuadé que la belle journée, qu'il avait louée au petit matin, allait très mal finir pour lui car la courtisane du roi s'avérait être aussi susceptible qu'un câble à haute tension.

— Je n'ai pas la réponse, madame.

Elle tira une longue bouffée de son calumet et souffla, cette fois, la fumée sur le visage du visiteur.

Elle dit, après une profonde méditation :

— Chahuter un poète en pleine inspiration, cher monsieur, est le pire des sacrilèges. Si le monde va mal, ce n'est pas à cause d'un tordu comme Trump à la Maison Blanche, ce n'est pas, non plus, à cause de la crise financière, ni à cause des exodes massifs qui déplacent les frontières et font replier les nations sur leur hypothétique ego… Si le monde va mal, c'est parce qu'on dérange la création artistique si nécessaire à la quiétude des âmes.

Le lyrisme n'étant pas son fort, Slimane n'arrivait pas à décoder les allusions de la diva. Il s'en voulait d'être là, au cœur d'une oasis édénique, avec le sentiment de crever de soif et d'insolation.

Il but l'orangeade jusqu'à la lie en essayant de s'imaginer loin, très loin de cette dame dont le regard halluciné semblait le traverser de part en part.

— Moussa ! s'écria-t-elle soudain à l'adresse du colosse qui lui massait les pieds.

Le domestique se figea.

— Je t'ai intimé mille fois de faire attention à ma cheville gauche.

— Il y a un nœud à cet endroit, *lalla*.

— Tu me fais mal, espèce d'animal.

Le colosse noir se remit à masser les pieds de sa maîtresse, avec plus de précaution.

La diva le considéra un moment, une moue courroucée sur les lèvres puis, après un soupir excédé, elle laissa tomber.

Elle dit à Slimane :

— Ça fait quatre jours et quatre nuits que je n'arrive pas à accoucher d'une strophe, monsieur Rachgoune. Chaque fois que je m'empare de ma plume, la feuille blanche me renvoie à un terrible passage à vide… Voyez-vous, cher monsieur, un poète a besoin de sérénité pour créer. C'est dans la nature des choses. Il a besoin d'être en phase avec lui-même, déconnecté d'un monde empêtré dans ses fièvres crétines. Il a besoin de se mettre à l'abri de ce qui le réduirait à une vulgaire ombre chinoise sur un écran de fortune.

— Tout à fait, madame.

— Lorsqu'un poète n'arrive plus à produire, la vie devient, pour lui, une épouvantable agonie.

— J'imagine, madame.

— C'est parce que le poète souffre que le monde va mal. Et j'ai horreur de souffrir. Je suis faite pour que le rêve demeure, cher monsieur, pour que l'esprit et le corps fusionnent dans une alchimie réparatrice, pour que le pouls du solfège supplante toutes les cacophonies de la terre. Je suis la diva Wafa par sa grâce sanctifiée. J'insuffle une seconde âme aux désespérés, redonne du courage à ceux qui ont perdu la foi, réconcilie les êtres avec les choses. Je suis la musique, le chant et la poésie combinés, aussi nécessaire que le pain et le vin, aussi sacrée que la prière et l'amour.

Slimane n'en pouvait plus. Il suppliait, en son for intérieur, les saints et les démons pour que la mégalo maniaco-dépressive lui explique enfin pourquoi il était là à subir son délire.

— Quelqu'un vous aurait-il offensée, madame ? s'enquit-il dans l'espoir de passer aux choses sérieuses.

— D'après vous, pourquoi ai-je rudoyé le gouverneur ? Pour le simple plaisir d'être désagréable ?

— C'est la raison pour laquelle le commissaire Rachid Baaz m'a ordonné de venir vous voir, madame. Il accorde la plus haute importance à…

— S'il accordait une quelconque importance à mes soucis, le coupa-t-elle, il ne m'enverrait pas son planton.

— Je suis son secrétaire.

— C'est du pareil au même. C'est le commissaire en personne que j'attendais. Mais bon, puisque vous êtes là, je n'ai pas envie de vous retenir longtemps. Sachez que je considère la défection de votre patron comme une offense que je ne suis pas près d'oublier. Dites-le-lui, s'il vous plaît. Mon problème mériterait une attention toute particulière, parce qu'il implique le commandement de la police.

Slimane se contracta comme un crabe.

— Le commandement de la police, madame ?

— Vous avez très bien entendu, monsieur. Si je n'arrive pas à renouer avec mes inspirations depuis quatre jours et quatre nuits, c'est à cause d'un satané officier de police relevant de votre unité.

— Comment est-ce possible, madame ?

— Je vous pose la question.

— Il a un nom, cet officier ?

— Driss Ikker.

Slimane se frappa le front du plat de sa main.

La diva poursuivit :

— Il n'arrête pas de m'importuner. Il est venu trois fois de suite me taper sur le système : le lundi, le mardi et le mercredi. Exactement à l'heure où je m'apprête à entrer en transe. Gâchant les rares précieux moments où je suis censée être en phase avec moi-même…

Slimane se mit à s'éponger dans un mouchoir. Fébrilement.

La diva haussa le ton d'un cran :

— C'est à peine si cet officier ne me tenait pas pour responsable du viol de son épouse. Il débarque chez moi comme dans un moulin, malmène mon gardien, à croire qu'il n'existe ni ordre ni retenue dans ce pays.

— Puis-je savoir les raisons de ses intrusions chez vous, madame ?

— C'est à lui qu'il faudrait poser la question. Il est venu la première fois me demander si sa femme avait été de la fête que j'avais organisée chez moi la nuit du 8 avril, à l'occasion de la circoncision de mon neveu. Je lui ai dit qu'effectivement son épouse était bien là et qu'elle avait passé une excellente soirée en notre compagnie. Le lendemain, il est revenu me poser les mêmes questions. Sans s'annoncer. Toute honte bue. J'ai essayé d'être aimable à cause de son chagrin. Ce qui ne m'arrive jamais avec les malotrus. Le mercredi, rebelote. Je pensais en avoir fini avec lui quand il s'est de nouveau pointé chez moi, ce matin, et cette fois, j'ai ordonné à Moussa de l'envoyer valdinguer.

— C'est incontestablement regrettable de la part d'un officier de police.

— C'est carrément inadmissible, monsieur Rachgoune. C'est par considération pour le corps de police que je me suis contentée de m'adresser au gouverneur. Si c'était quelqu'un d'autre, j'aurais appelé le ministre en personne.

— Que vous voulait-il au juste pour revenir autant de fois vous importuner ?

— Me cuisiner. Comme un vulgaire suspect. Il voulait savoir comment était sa femme ce soir-là, avec qui elle était, si elle était arrivée seule ou avec quelqu'un, qui l'avait raccompagnée chez elle en fin de soirée. Je lui ai expliqué que j'avais énormément d'invités, cette nuit-là, et qu'il m'était impossible de surveiller les faits et gestes de tout le monde. Sa femme était arrivée avec Mme Baaz, ça, c'est sûr. Je l'ai accueillie avec tous les égards, à l'instar de mes invités que je trie sur le volet. Puis, je l'ai perdue de vue. J'ignore à quelle heure elle nous a quittés. Elle n'est pas venue me dire qu'elle partait. Et puis, je ne suis pas censée raccompagner mes invités chez eux. Ils sont assez grands pour se débrouiller... Hier, le lieutenant s'est montré particulièrement agressif. Il voulait que je lui remette la liste de mes invités, enfin celle des messieurs. Il a laissé entendre que l'agresseur de son épouse pourrait y figurer. Je lui ai rappelé que mes invités étaient des gens bien élevés et que je voyais mal qui aurait pu suivre Sarah jusqu'à chez elle pour la violer. Le lieutenant s'est mis à crier et à me menacer. Sans l'intervention musclée de Moussa, il m'aurait sans doute violentée. Il m'a fallu trois doigts de scotch pour reprendre mes esprits, après son départ.

— Hallucinant.

— Pourquoi votre lieutenant s'acharne-t-il sur moi ? En quoi serais-je responsable de ce qu'il lui est arrivé ?

— Vous n'avez pas à vous inquiéter, madame.

— C'est plutôt à lui de s'inquiéter, ainsi qu'à votre commandant.

— Nous n'irons pas jusque-là, madame. Le lieutenant Ikker digère très mal l'agression dont a fait l'objet sa femme. Il se conduit de la même façon avec tout le monde.

— Je ne suis pas tout le monde.

— Absolument, madame. Je vous promets que nous allons le remettre à sa place. Il ne reviendra plus perturber vos inspirations.

— Il a intérêt, croyez-moi.

— Je vous crois sur parole, madame. Considérez cette malencontreuse incartade comme corrigée. Le commissaire Baaz saura y remédier de la manière la plus ferme. Il est des choses avec lesquelles on ne badine pas. Le lieutenant Ikker sera sanctionné comme il se doit.

La diva repoussa du pied le colosse noir et se mit sur son séant.

— Tu as été atrocement maladroit, aujourd'hui, Moussa.

— Vous avez les chevilles d'une déesse, *lalla*. Comment des mains roturières comme les miennes pourraient-elles les effleurer sans défaillir?

— Ne me flagorne pas avec mes propres poèmes, Moussa.

— Vos poèmes sont des versets, *lalla*.

Elle éclata d'un rire surfait et le congédia, condescendante et miséricordieuse à la fois.

Elle tendit son calumet au secrétaire.

— Et si on fumait un peu d'opium pour nous remettre de nos émotions?

Slimane en avait assez vu et entendu.

— Il est impératif pour moi de rentrer sur-le-champ rendre compte à mon supérieur de ce malheureux incident, madame.

— Dommage, fit-elle en lui tournant le dos, lui signifiant ainsi qu'il était temps, pour lui, de disparaître de sa vue.

## 15.

— Là, il dépasse les bornes, admit le commissaire Rachid Baaz, après avoir écouté en silence un Slimane traumatisé par sa rencontre avec la diva Wafa.

— Cette sotte pourrait nous attirer des ennuis en haut lieu, s'alarma le secrétaire. Elle est capable d'ameuter la cour royale si une mouche échouait dans sa tasse de thé.

Le commissaire Baaz se prit le menton entre les doigts pour réfléchir. Il ne paraissait pas aussi tarabusté que son secrétaire, mais les agissements du lieutenant Ikker semblaient le préoccuper sérieusement.

— Pourquoi veut-il la liste de tous les hommes conviés à cette soirée ?

— La vraie question, patron, est de savoir de quel droit ose-t-il réclamer une telle liste ?

— C'est moi qui mène l'enquête, leur rappela le lieutenant Alal. Ikker n'a pas à s'en mêler.

— Absolument, attesta Slimane. Ikker oublie qu'il a une hiérarchie à laquelle il doit se référer. Son honneur bafoué ne l'exempte pas d'une certaine retenue. Cet abruti ne voit pas où il met les pieds.

— Il porte préjudice à notre institution, martela Alal.

— La chanteuse Wafa compte, parmi ses fans inconditionnels, la reine en personne. La harceler, c'est comme si on invitait un cracheur de feu à se produire dans une soute à munitions.

— Ouais, Ikker joue avec le feu dans une poudrière, renchérit Alal.

Le planton arriva avec du café, posa une tasse sur le bureau du commissaire, les deux autres sur la table basse autour de laquelle étaient assis le secrétaire et le lieutenant Alal, et se retira.

Le commissaire se mit à scruter le plafond. Ses mâchoires roulaient dans sa figure, pareilles à des poulies passablement graissées. De temps à autre, un reniflement nerveux lui retroussait les narines.

Il revint sur terre.

— Il pense que l'agresseur de sa femme était à la fête, ce soir-là?

— Il pense ce qu'il veut, dit Alal. Il prêche le faux, c'est tout.

— Ne nous éloignons pas de l'essentiel, insista Slimane. Ikker n'a pas à aller chez cette dame ni chez personne. Ce n'est pas lui qui mène l'enquête. Il est en train de péter un câble, et ça va nous électrocuter tous autant que nous sommes.

— Pourquoi pense-t-il que l'agresseur était à cette fête ? se demanda à voix haute le commissaire qui, apparemment, n'écoutait ni son secrétaire ni son fin limier… Ikker sait-il quelque chose que nous ignorons ? A-t-il en sa possession une pièce qui manque à notre puzzle ?

— Dans ce cas, qu'il nous livre ce qu'il détient s'il veut que l'enquête avance, dit Alal.

— Il ne détient rien du tout, glapit Slimane, déçu que personne ne s'intéresse à l'objet de ses angoisses. Cet enfoiré n'est pas foutu de remarquer une contravention sur son pare-brise. Il se donne en spectacle et n'amuse personne.

— Son hypothèse ne tient pas la route, dit Alal.

— On n'en a rien à cirer, de son hypothèse, s'écria Slimane, à bout.

— Laisse le lieutenant développer, lui ordonna le commissaire. Et cesse de gigoter, tu vas finir par froisser ma moquette. C'est moi, le commandant de la police. S'il y a une tuile qui va tomber, c'est sur moi qu'elle atterrira en premier. Alors, tu mets de l'eau dans ton vin et tu t'écrases… Vas-y, Alal, dis-nous ce qui cloche dans l'hypothèse d'Ikker.

Alal avala une gorgée de son café pour se lubrifier le gosier. Il développa :

— Si l'agresseur était à la soirée, cela voudrait dire qu'il a dû approcher Sarah.

— Pas forcément, objecta Slimane, exacerbé.

— Aucune femme seule ne le reste longtemps dans ce genre de festivité, argumenta Alal. Surtout si elle est d'une grande beauté. Il y a toujours un joli cœur qui opère dans les parages pour charmer les dames isolées.

— Admettons, admettons, s'impatienta le commissaire.

— Sarah a sans doute été approchée par un invité. Ils papotent, trinquent, font plus ample connaissance. Vers minuit, Sarah est fatiguée. Elle veut rentrer chez elle. Elle n'a pas de voiture. Le charmeur se propose de la raccompagner. Essayons d'être raisonnables deux secondes, d'accord ? Imaginons que Sarah accepte d'être raccompagnée chez elle…

— Arrête de tourner autour du pot, rugit le commissaire.

Alal perdit subitement le fil de son exposé, ne parvint pas à le retrouver, ou peut-être se rendit-il compte qu'il faisait fausse route.

— OK, relaya Slimane, le charmeur raccompagne Sarah chez elle. Et après ? Vas-y, accouche… Selon toi, il lui aurait mis la pression pour qu'elle le fasse entrer chez elle, et là, il l'aurait violée… C'est ça, ton hypothèse ? Mais bon sang, Alal, Sarah dit qu'elle a été attaquée par-derrière au moment où elle refermait la porte de sa maison. Que son agresseur l'attendait à l'intérieur de la maison. Ce sont ses déclarations, dûment consignées dans le rapport que ton second, l'inspecteur Brik, a rédigé et que tu as validé et signé. S'il s'était agi d'un galant violeur croisé chez la diva, Sarah l'aurait identifié, et nous ne serions pas là à perdre de vue la véritable menace que fait peser sur notre commissariat ce cervidé d'Ikker.

— Elle a peut-être pris un taxi pour rentrer? hasarda Alal.

— Et alors?

— C'est peut-être le chauffeur de taxi qui l'a agressée.

— À condition qu'il ait le don d'ubiquité, ironisa Slimane. Car, comment pouvait-il être en même temps derrière son volant et à l'intérieur de la maison de sa victime?

Le commissaire frappa du plat de la main sur son bureau.

— Bon, assez déconné comme ça. Vous allez m'avoir à l'œil ce lieutenant de pacotille.

— Pourquoi ne pas le convoquer pour le remettre à sa place, patron? dit Slimane, désarçonné par le peu d'attention que le commandant accordait aux errements de son protégé. Le lieutenant Ikker a besoin qu'on lui tire l'oreille jusqu'à lui faire rentrer certaines règles dans le crâne.

— C'est ce que je compte faire. Mais rien n'empêche cette tête de mule de récidiver. Il est en train de perdre le nord. Aussi, il va falloir le surveiller de près.

Le lieutenant Ikker passa pour la énième fois devant l'atelier au coin de la rue Bella Vista. Cela faisait plus d'une semaine que l'artisan était parti marier sa fille au bled; le rideau de fer du local demeurait cruellement baissé.

Driss se déporta sur le premier bar sur sa route. Pour ruminer son dépit.

Il rentra chez lui vers 15 heures, sombre et éméché, trouva un repas dans le micro-ondes, le réchauffa et s'attabla dans la cuisine. Sans un mot pour Sarah qui le regardait manger, debout contre l'évier.

— Je suis de chair et de sang, finit-elle par lâcher dans un soupir.

— Je t'en prie, je ne suis pas d'humeur, aujourd'hui.

— Tu n'es pas d'humeur aujourd'hui? Pourquoi? Tu l'as été hier, et avant-hier? Ça fait des jours et des nuits que tu boudes dans ton coin.

— Je suis bien dans mon coin et je ne dérange personne.

— C'est ce que tu crois, mais tu te trompes. Tu es en train de foutre le bordel partout, si tu veux savoir. Que tu t'en prennes à moi, passe, mais que tu te jettes sur n'importe qui, ce n'est pas tolérable… Qu'est-ce qui t'a pris d'aller persécuter Wafa? Tu t'es rendu quatre fois chez elle.

— Et c'est quoi, ton problème?

— Mon problème, c'est toi.

— Je mène une enquête.

— Ah bon? Depuis quand, tiens?

— Depuis que j'ai jugé nécessaire de prendre moi-même les choses en main.

— Et quelle piste espères-tu remonter à partir de la diva?

— Ne crie pas, s'il te plaît, hurla Driss en cognant sur la table.

Une fourchette pirouetta dans l'air avant de ricocher par terre.

Sarah ramassa la fourchette, la remit sur la table. Le visage blême, elle croisa les bras sur sa poitrine et dit, d'un calme troublant :

— Je ne suis pas en train de crier. Regarde, je ne tremble même pas. Pourtant, j'ai envie de tout casser autour de moi.

Driss repoussa son repas pour se mettre en face de son épouse. Sa pommette tressautait de nervosité. Lui aussi semblait vouloir tout casser autour de lui. Les poings fermés, il attendit de discipliner son souffle qui trahissait la fureur en train de sourdre tel un magma au fond de son être.

— Je te rappelle que je suis flic. Mener une enquête fait partie de mon métier. Et mon métier consiste à chercher la vérité.

— La vérité, tu la connais.

— Je n'en connais qu'une version.

— Qu'est-ce que tu insinues par «une» version ? s'emporta Sarah en décrivant des guillemets avec les doigts. Il n'y a qu'une seule vérité, et tu refuses de l'affronter. Wafa n'y est pour rien. Ce qui nous est arrivé n'a aucun rapport avec la soirée qu'elle a organisée. Tu veux que je te détaille cette maudite journée ? Par quoi veux-tu que je commence ? Le matin ? L'après-midi ?…

— Dois-je comprendre que tu as arrêté ton traitement ?

— C'est toi qui me soûles, pas mon traitement. Qu'est-ce que tu veux savoir? Allez, pose tes questions, y compris celles que tu n'oses pas te poser à toi-même. Tu veux que je te fasse la chronologie de cette maudite journée du 8 avril?

Driss se leva et quitta la cuisine.

Sarah le poursuivit dans le vestibule.

— Pourquoi tu te débines?

— Lâche-moi, Sarah. Je n'ai pas envie de choper une migraine.

— Parce que tu trouves que ça tourne rond dans ta tête?

Elle l'attrapa par le poignet.

— Regarde-moi, Driss.

— Arrête, s'il te plaît.

— Pas avant que j'aie fini… Après ton départ à Casa, je suis montée dans ma chambre. J'ai pris mes comprimés et j'ai piqué un petit somme. Ensuite, j'ai pris une douche et je me suis préparée pour la soirée. Narimène devait passer me prendre à 19 heures. Elle m'a appelée pour me prévenir qu'elle aurait un peu de retard. J'ai pris un livre et j'ai attendu dans le salon. Narimène est venue me chercher à 21 heures. La soirée avait commencé chez Wafa. Il y avait des gens que je connaissais, d'autres que je voyais pour la première fois. Vers minuit, Narimène a été obligée de rentrer s'occuper de ses filles car son mari devait se rendre d'urgence quelque part. Je suis restée à la soirée jusqu'après minuit. Je pensais que Narimène allait revenir. Elle n'est pas revenue. Alors, j'ai appelé

un taxi et je suis rentrée à la maison. Voilà… La
suite, tu la connais par cœur. D'autres questions ?

Driss prit la joue de sa femme dans le creux de
sa paume, pencha légèrement la tête sur le côté
pour la dévisager, un sourire bizarre sur les lèvres.

— Qu'est-ce qui peut bien t'effrayer de cette
façon, mon cœur ?

Il y avait quelque chose dans son ton qui déplut
à Sarah.

Driss gravit l'escalier, la main sur la rampe, le
dos roide.

— Je sors, lui lança Sarah.

— Excellente idée.

— Tu ne me demandes pas où je vais ?

En guise de réponse, elle eut droit au claquement
d'une porte que l'on ferme sèchement derrière soi.


Un coup de klaxon retentit dans la rue. Sarah
regarda par la fenêtre du salon, reconnut la voiture
de Narimène et se dépêcha de la rejoindre.

— Une minute de plus, et j'allais imploser,
confia-t-elle à l'épouse du commissaire.

— Désolée, j'avais un plombier à la maison.
Qu'est-ce qu'il t'a encore fait subir, ton dégénéré
de mari ?

— Il devient de plus en plus insupportable.

— Tous les hommes le sont, ma chérie. C'est à
toi de prendre ton mal en patience.

Mme Baaz rappelait une vamp hollywoodienne,
avec ses lunettes de soleil, son grand chapeau et
son écharpe au vent. Elle n'était pas très jolie, mais

avait du charme et deux grands yeux de gazelle qui lui occupaient la moitié du visage. Avec désinvolture, elle enclencha la vitesse et démarra sur les chapeaux de roue, soulevant les jappements d'un chien du voisinage.

— Voilà le programme que je nous ai concocté, ma chérie, annonça-t-elle. On va chez Rokaya nous délasser au sauna. Il paraît qu'elle a une nouvelle kiné qui fait des miracles. Ensuite, nous irons au club voir quelques amies. Anissa a promis de nous retrouver là-bas.

— Anissa la couturière ?

— Pas celle-là, je sais que tu ne la cadres pas. Anissa, la fille du gouverneur… Alors, raconte, ma Belle, qu'est-ce qu'elle te cherche, la Bête ? Tu veux que je l'appelle la Bête ou la Brute ?

— Il est en train de me rendre folle. Des fois, j'ai envie d'appeler ma mère pour qu'elle vienne me chercher.

— Surtout pas ça, ma chérie. Tu dois rester sur tes positions, ne rien céder de ton front, et ton front, c'est ta maison. Te réfugier à Kénitra serait une désertion.

— Je n'en peux plus, Narimène. Driss agit comme un psychopathe. Son langage est codé, son attitude étrange. Je n'arrive pas à le suivre. Je lui parle d'une chose, il m'en sort une autre qui n'a rien à voir avec le sujet. On dirait qu'il fait exprès de me pousser à bout.

— Tu n'as peut-être pas tort de le penser, ma chérie. Les hommes se vengent souvent sur leur

femme quand ils sont dépassés par les événements.
Tu crois que je me la coule douce avec Rachid ?
Lui aussi a ses moments. Mais j'ai appris à faire
avec. Nous n'avons pas le choix. Un couple, ce
n'est jamais un mari et une épouse. Un couple,
c'est une mère et un enfant gâté. Ça a toujours été
ainsi.

— Je ne sais pas quoi faire avec le mien.

— Tu n'es pas obligée de tomber dans son jeu.

— Tu crois que c'est un jeu ?

— Oublie-le deux secondes, pour l'amour du
ciel. On va au sauna, puis au club pour laisser les
vacheries de nos hommes derrière nous.

Elle glissa un CD de Nassima dans le lecteur de
bord et monta le son à fond.

## 16.

— Décroche, bon sang ! gémit l'épouse de l'inspecteur Brik en ramenant l'oreiller sur sa tête.

L'inspecteur émergea difficilement de son sommeil. Les aiguilles phosphorescentes de son réveille-matin indiquaient 1 h 28. Il s'empara du combiné et étouffa un juron en reconnaissant la voix nasillarde du brigadier Farid au bout du fil.

— J'espère que tu ne me réveilles pas pour me demander l'heure, Aghroub.

— Le lieutenant Alal fait des siennes au Jabel Tarek. Il faut que tu ailles le calmer avant que quelqu'un n'appelle la permanence du Central.

— J'en ai rien à cirer, des tribulations du lieutenant Alal.

— Il faut absolument que tu ailles le tirer de là. Si jamais le commandant l'apprenait, c'est toute votre unité qui trinquerait.

— Tu es sur place ?

— Je suis chez moi. Je dormais. C'est un ami qui m'a appelé pour m'informer que le lieutenant

Alal est en train de creuser sa tombe des pieds et des mains. Je n'aime pas beaucoup ton chef, mais je t'aime bien, toi. Et je sais que lorsque le commissaire est en colère contre un merdeux, il privilégie la punition collective pour que ça serve de leçon à tout le monde.

— C'est quoi, le Jabel Tarek ?

— Un resto à l'entrée du nouveau port, sur la droite, avec une énorme enseigne rouge sur le fronton. Tu ne peux pas le louper.

L'inspecteur Brik repoussa les draps et se rhabilla dans le noir en fulminant intérieurement.

Le Jabel Tarek était une brasserie branchée où venaient se ressourcer les rejetons des nantis, les hommes d'affaires étrangers, les magistrats cotés et quelques poètes en manque de visibilité. C'était aussi un sacré râtelier dont raffolaient les fonctionnaires «utiles» qui ne se sentaient pas obligés de mettre la main à la poche tant le mot «addition» ne figurait guère dans leur jargon. L'inspecteur Brik n'y avait jamais mis les pieds – parce qu'il était fauché à l'instar des flics honnêtes. Ce fut donc avec gêne qu'il franchit le seuil de cet Olympe miniature empestant la fortune, la manne céleste et le trafic d'influence.

Il n'y avait personne au bar, hormis le gérant reconnaissable à sa cravate de nabab, le videur taillé dans un bloc de granit et le lieutenant Alal qui, ivre mort, ronflait sur un haut tabouret, la tête sur le comptoir, une mare de salive autour de la joue.

— Inspecteur Mostefa, se présenta Brik. Je viens chercher le lieutenant.

— Je commençais à perdre patience, dit le gérant. Nos derniers clients sont rentrés chez eux depuis presque deux heures, et nous sommes là à attendre que votre collègue daigne nous laisser fermer boutique. Je n'avais qu'un coup de fil à donner, mais je n'aime pas trop briser les carrières.

— On va arranger ça, promit Brik.

— Vous avez intérêt, inspecteur. On veut juste que le lieutenant débarrasse le plancher. Il n'a pas arrêté son cinéma depuis qu'il est arrivé. À cause de lui, beaucoup de nos clients ont préféré se rabattre chez nos concurrents.

L'inspecteur Brik secoua son supérieur. Ce dernier écarquilla les yeux, parut ne pas savoir où il se trouvait, essuya ses narines fuyantes sur le revers du poignet.

— J'veux un dernier verre pour la route.

— C'est c'qu'il n'a pas cessé de réclamer verre après verre, dit le videur. On le sert, et hop, il remet ça.

— Je bougerai pas d'ici avant un dernier verre, glapit Alal en chavirant sur son siège.

— Ça suffit, lieutenant.

— Bas les pattes, toi, t'entends ? J'veux qu'on me serve jusqu'à ce que je transpire du scotch à l'état brut. Sinon, je mettrai cette putain de brasserie sous scellés.

— Allons, patron, foutons le camp d'ici. Il se fait tard.

— Pourquoi il refuse de me servir, ce rouquin de mes deux ? Il est dissident politique ? Il aime pas les flics ? Il croit que ses muscles l'autorisent à défier l'autorité de l'État ?

— Ce bar doit fermer à minuit, patron. C'est la loi.

— La loi, c'est moi.

Brik invita les deux hommes à lui donner un coup de main. Tous les trois, ils ceinturèrent le lieutenant qui se mit à gigoter, mais il était trop ramolli pour résister.

— J'suis le lieutenant Alal. C'est moi qui fais la pluie et le beau temps à Tanger. Je vous foutrai par la trappe jusqu'à ce que vos os tombent en poussière.

Les trois hommes traînèrent l'ivrogne jusque sur le parking, aidèrent l'inspecteur à le pousser dans une vieille berline et à lui mettre la ceinture de sécurité.

— Il vous doit combien ? demanda Brik au gérant.

— C'est à nos frais, pourvu qu'il ne revienne pas nous faire chier.

Brik s'excusa encore du tort causé par son supérieur, serra fortement la main au gérant et à son colosse, sauta derrière son volant et se dépêcha de quitter les lieux.

— Tu m'emmènes où ? gargouilla Alal, la bouche salivante.

— Chez vous.

— J'veux pas rentrer chez moi. Trouve-moi un hôtel où le whisky coule à flots. J'ai envie de me soûler. C'est mon droit. Je veux me soûler grave ce soir, demain et toutes les nuits.

— Qu'est-ce qui vous prend, chef? Vous avez reçu un blâme ou perdu un être cher?

— J'aime pas qu'on me menace.

— Qui vous a menacé?

— C'est pas ton problème! Et puis, qui t'a dit où j'étais?

— Quelqu'un qui n'aimerait pas vous voir traîné dans la boue.

— Et si ça m'amuse de traîner dans la boue? Ce que je fais de ma chienne de vie ne regarde que moi.

— Ce n'est pas une raison pour vous donner en spectacle. Que vont penser de vous les gens?

— Ce que pensent les gens ne compte pas. Ni mes heures sup, ni les nuits froides que j'ai passées dans des tacots à veiller au grain, ni les risques que je prends chaque fois que je suis amené à effectuer un raid dans les quartiers chauds, ni ma carrière de flic dévoué que je négocie au détriment de ma petite famille… Rien ne compte. La preuve, n'importe qui peut me dégommer d'un claquement de doigts.

— Personne ne cherche à vous dégommer, voyons.

— Ah oui? D'après toi, pourquoi j'arrête pas de paniquer? Pourquoi je vois des violeurs partout? Tu peux me le dire, toi?

— Je donnerais ma langue au chat qu'il n'en voudrait pas.

— Eh bien, je vais éclairer ta lanterne, moi. Je vais jouer carte sur table avec toi. Si je ne dors pas, si j'ai les jetons, si je chie dans mon froc, c'est parce que le commandant a été clair, net et direct. Il exige une tête, et tant pis si c'est la mienne. Il a dit ça, le commandant. Je veux une tête, et tant pis si c'est la tienne. Texto. À la virgule près. Le commissaire a mis ma tête et celle du violeur sous le même couperet. Il lui importe peu de savoir laquelle des deux va rouler dans le panier. Et ça, j'arrive pas à avaler. Comment peut-il me faire ça à moi, hein? J'ai toujours été son clébard bien dressé, tantôt pitbull lorsqu'il s'agit de montrer les crocs, tantôt petit toutou pour amuser les amis, mais prêt de jour comme de nuit à courir allègrement chercher la balle jusque dans le plus dégueulasse des caniveaux. Et c'est ainsi qu'il me récompense? En mettant ma tronche et celle du violeur dans le même sac-poubelle!…

— Il a toujours été excessif, chef.

— Sauf qu'il a dépassé les bornes, cette fois… Et pourquoi? Parce que Ikker est son protégé et Sarah la fille de son protecteur à lui. Il se sent doublement concerné par le viol de cette allumeuse. Il veut un coupable, et c'est à moi de l'inventer de toutes pièces si je tiens à garder ma caboche sur les épaules. Je vais le trouver où, ce putain de violeur?

— Vous n'êtes pas obligé de l'inventer de toutes pièces, patron. Vous menez une enquête…

— À partir de quoi ? De quelle piste ? J'ai serré la vis à l'ensemble de mes indics, promis des remises de peine à des brutes, personne n'a été foutu d'avancer un nom. Et cette fiotte d'Ikker qui n'arrête pas de me provoquer. Il m'a traité de con devant le commandant. Devant le commandant, tu t'rends compte ? Moi, le lieutenant Alal décoré par Sa Majesté le roi en personne, qui tiens fermement Tanger par les couilles, je suis un con. Qu'est-ce que tu crois que le commandant a fait ? Rien. Il n'a même pas remué le sourcil. Eh oui, c'est la vie. Y a ceux qui sablent le champagne et ceux qui boivent la tasse. Mais quelle que soit ma déveine, je ne laisserai pas ce cul lustré d'Ikker trinquer à mes dépens. Un jour, je lui ferai regretter de m'avoir manqué de respect. En attendant ce jour, comment veux-tu que je reste sobre ?

Soudain, il eut un haut-le-cœur.

— Range-toi sur le côté, vite.

Brik eut juste le temps de ralentir. Alal ouvrit la portière et gerba sur la chaussée en râlant comme un chameau en train de rendre l'âme.

— Vous voulez qu'on marche un peu, patron ? L'air frais vous ferait du bien.

Alal eut toutes les peines du monde à se défaire de sa ceinture de sécurité, mit pied à terre, tituba jusqu'à un lampadaire et urina dessus. Après un gros lâcher de pets, il revint vers la voiture en chancelant.

— Reconduis-moi au bar.

— Il doit être fermé.

— Il faut que je retourne récupérer ma caisse laissée sur le parking.

— Vous n'êtes pas en mesure de conduire, chef. Donnez-moi les clefs. J'enverrai quelqu'un la chercher.

Alal se plia en deux pour dégueuler de nouveau, une main sur le capot, l'autre sur le ventre. Brik le laissa évacuer la lie qui lui rongeait les tripes, puis l'installa sur la banquette arrière et lui remit la ceinture de sécurité.

— Emmène-moi dans un hôtel, dit Alal d'une voix suppliante. J'ai des invités chez moi. J'veux pas qu'ils me voient dans cet état.

— Vous promettez de ne pas boire ?

— T'es qui, bordel, pour que je te promette quoi que ce soit ? Mon ange gardien ?

— Votre adjoint.

— Alors, reste à ta place de subalterne et n'essaye pas d'apprendre à ton papa à faire des enfants.

Brik enclencha les vitesses en remontant un boulevard désert. De rares fenêtres étaient encore allumées dans les immeubles. Un sans-abri soliloquait sur un banc, un chien lové à ses pieds. L'inspecteur baissa la vitre pour aérer l'intérieur de la voiture qui commençait à sentir mauvais.

— Comment il a su, Slimane ? baragouina le lieutenant, la langue aussi lourde qu'une éponge gorgée d'eau.

Brik feignit de rajuster le rétroviseur.

— Tu crois qu'il y a une taupe dans mon unité ?

— Le suspect que vous vouliez inculper avait un dossier médical, patron. Il sortait à peine d'un centre psychiatrique. Ce n'était pas la première fois qu'il venait se constituer prisonnier pour un crime qu'il n'a pas commis.

— Tu bottes en touche, Brik. Qui est derrière la fuite ? Je n'avais pas encore envoyé mon rapport et personne, en dehors de mes hommes, n'était au courant que j'avais un deuxième suspect sous la main. Alors, comment il a su, cette pédale de Slimane ?

— C'est moi qui l'ai alerté.

— Quoi ? s'écria Alal, dégrisé d'un coup.

— Vous avez très bien entendu, patron. C'est moi qui ai prié M. Rachgoune de venir voir de près la tête que vous comptiez accrocher à votre tableau de chasse.

Les yeux d'Alal manquèrent de lui rouler sur les joues.

— C'est toi qui m'as poignardé dans le dos ?

— C'est pour votre bien, chef. Vous étiez à deux doigts de commettre la plus ridicule bavure de votre carrière.

Alal se prit d'abord la tête à deux mains, comme s'il refusait d'admettre ce qu'il venait d'entendre, puis il se débarrassa de sa ceinture de sécurité, se jeta sur son adjoint par-derrière et entreprit de l'étrangler en hurlant comme un possédé.

— Espèce de salopard, traître, fils de chien, ordure, minable…

Une main sur le volant, l'autre tentant de dégager son cou, Brik perdit le contrôle de son véhicule
qui se mit à tanguer sur le trottoir, évita de justesse
un réverbère, revint sur la chaussée dans un effroyable crissement de pneus. La voiture slaloma au
hasard, rebondit plusieurs fois sur le trottoir, heurta
quelque chose avant de freiner à dix centimètres
d'un colossal vase décoratif au milieu d'un carré
de gazon.

— Ça va pas, lieutenant! Vous avez failli nous
faire tuer.

Alal ne répondit pas. Il gisait sur la banquette,
assommé. Les violents soubresauts de la voiture
l'avaient projeté contre la portière. Son front saignait doucement sur la sangle de la ceinture de
sécurité.

## 17.

Driss consumait ses soirées dans un tripot discret au fond d'une impasse, parmi un ramassis de dockers esquintés et de naufragés de la vie qui, malgré leur air de brutes, se tenaient tranquilles. Pas une fois Driss ne s'était senti en terrain ennemi. Il occupait un bout du comptoir et descendait ses bières sans que personne ne vienne le serrer de près. Le gérant, une espèce d'armoire à glace avec des tatouages sur le cou et un faciès tailladé, menait sa clientèle comme au bataillon, aussi strict qu'un caporal fraîchement promu. Pas une bagarre, pas un mot plus haut que l'autre n'était toléré dans son établissement aux allures de taverne médiévale. On se soûlait en silence, dans une pénombre relative. La bière était bon marché, le whisky sans traçabilité, et personne n'en faisait un plat.

Driss aimait bien cet endroit fréquenté exclusivement par des laissés-pour-compte, certain de n'y rencontrer aucune connaissance et, par voie de conséquence, de ne pas être obligé de raconter son malheur à un collègue en lui bavant sur l'épaule. Une fois la tête bien irriguée, il demandait l'addition comme on demande grâce et courait retrouver Malik Bahri, un ami qui habitait une superbe villa sur la plage.

Supportant de moins en moins la mélancolie contagieuse de sa femme, Driss avait du mal à rentrer chez lui. D'ailleurs, ils ne se parlaient presque plus, Sarah et lui. Ils cohabitaient, pareils à deux entités incompatibles piégées dans un même labyrinthe. Sarah dînait seule dans la cuisine, remuant à peine les sourcils lorsqu'une voiture ralentissait dans la rue. Driss, lui, faisait exprès de traîner tard quelque part, le téléphone verrouillé – sous prétexte de ne pas réveiller son épouse à des heures impossibles, il dormait dans la chambre d'amis. Combien de fois n'avait-il pas souhaité trouver toutes les lumières de la maison éteintes, se déshabiller dans le noir et glisser sous les draps avec la certitude de se diluer dans un sommeil sans rêves et sans fond ? Mais ses prières fondaient dans son crâne comme des glaçons lorsque, en se garant devant chez lui, il voyait la fenêtre de la chambre à coucher éclairée.

— Il faut que tu ailles consulter le docteur Hamel, lui recommanda Malik Bahri. C'est un copain et il est calé. Il t'aidera à remonter la pente.

Driss tergiversa longtemps avant de céder. Il était évident que les choses lui échappaient dangereusement et que s'il continuait à leur tourner le dos, elles finiraient par l'emporter comme une crue… À peine installé sur le canapé, dans le cabinet austère du docteur Hamel, il se sentit plus mal encore. Le psy était un homme d'un certain âge, courtois et prévenant, sauf que le lieutenant s'était vite aperçu qu'il n'avait ni la force ni le courage de se confier à un inconnu. À l'issue de la première séance, il décida qu'il n'y en aurait pas d'autres.

— Hamel m'a appelé pour me dire que tu n'es plus retourné le voir, déplora Malik.

— Je suis musulman, marmonna Driss. Le confessionnal n'est pas mon truc.

— Qui te parle de confessionnal, Driss ?

— Qu'est-ce qu'un psy, sinon un prêtre qui monnaye ses services sans accorder d'absolution ?

— Arrête, mon ami. Tu es un universitaire, voyons…

— S'il te plaît, le coupa Driss, je suis venu regarder la mer.

— Ce n'est pas ça qui va t'aider à sortir la tête de l'eau, crois-moi. Tu es en train de traverser des zones de turbulences particulièrement éprouvantes et tu t'obstines à naviguer à l'aveugle. Il faut que tu retournes chez le docteur Hamel.

— Il ne va rien m'apprendre de plus sur ce que je sais déjà.

— Savoir est une chose, gérer en est une autre. Tu ne t'en rends peut-être pas compte, mais tu es en train de dépérir à vue d'œil. Je m'inquiète sérieusement pour toi, Driss.

Driss et Malik s'étaient rencontrés six mois plus tôt dans un gala de charité. Ils ne se connaissaient pas et ne s'étaient jamais croisés avant. Le courant était passé très vite entre les deux hommes. Marocain naturalisé hollandais, fils d'un ouvrier qui avait émigré aux Pays-Bas dans les années 1980, Malik s'était promis d'être digne des sacrifices de ses parents qui avaient sué sang et eau pour lui assurer une vie moins inclémente que la leur. Né à Amsterdam trente-cinq ans plus tôt, il avait décroché plusieurs diplômes dans de prestigieuses universités européennes, excellé dans l'ensemble des projets qu'il avait lancés dans l'industrie pharmaceutique avant de venir proposer son savoir-faire à son pays d'origine. Ses performances lui ouvrirent les portes toutes grandes des ministères sollicités et, en moins de quatre ans, il imposa son génie partout où il déploya un chantier.

Les deux hommes s'installèrent sur la véranda. Sur la plage, deux gosses jouaient avec un chien. Leurs cris transperçaient le piaillement des mouettes. Plus loin, sur un rocher, un pêcheur surveillait sa ligne.

— Une orangeade ? proposa Malik.

— Une vodka lemon plutôt.

— Tu devrais arrêter.

— L'alcool aide à brûler certaines toxines.

— La prière aussi.

Driss émit un hoquet dédaigneux.

— Quand j'étais enfant, je passais mes nuits à prier pour retrouver, au petit matin, toutes mes petites misères intactes. Ma mère disait qu'avec un peu de patience, on finirait par obtenir ce qu'on demande au Seigneur. Elle a été patiente toute sa vie sans rien obtenir du tout.

— Je connais pas mal de malheureux qui espéraient noyer leur chagrin dans des beuveries, rétorqua Malik. Ils ont fini noyés dans leurs larmes.

Driss allongea les jambes vers la balustrade, renversa la tête en arrière, chercha dans le ciel une échappatoire et ne vit qu'un vide uniforme aussi vertigineux que l'abîme dans sa tête.

Malik envoya un domestique leur chercher des rafraîchissements.

— Tu n'as jamais songé à te marier ? lui demanda Driss.

— Chaque chose en son temps.

— Pourtant, tu as tout : une belle villa, du fric à la pelle, une carrière toute tracée, une excellente réputation, de la classe…

— Et alors ?

— Ben, ce n'est pas normal.

— C'est quoi être normal, Driss ?

— Je ne sais pas, moi. Tu es un jeune homme plein de charme. Les filles te courent après. Pas une fois je n'en ai vu une à ton bras. On dirait que tu ne les vois même pas.

— J'ai d'autres priorités.

— Plus importantes que fonder une famille ?

— Pour le moment, oui.

— Tu as une petite amie ?

Malik sourit. Il commençait à voir venir le lieutenant.

— Je n'ai pas de petite amie, et ça ne fait de
moi ni un homo ni un impuissant.

— Ce n'est pas ce que je voulais dire.

— Mais c'est ce que tu pensais.

Driss se moucha dans un Kleenex.

Il reprit :

— Je t'envie. J'aurais dû rester célibataire.

— N'importe quoi.

— Je suis sincère.

— La sincérité n'empêche pas d'être stupide.
Tu as une femme magnifique.

Le domestique, un quinquagénaire au teint bistre
emmitouflé dans une robe satinée, arriva avec un
plateau chargé d'une carafe de citronnade, de deux
hauts verres et d'une assiettée de fruits secs.

— Tu veux autre chose à grignoter ? demanda
Malik au lieutenant.

— Je me ronge suffisamment les ongles comme
ça.

Malik pria le domestique de retourner vaquer à
ses occupations.

Il dit à son ami :

— Si tu ne veux pas te faire soigner, essaye au
moins de changer de disque.

— J'en ai pas d'autres.

— Tu veux que je te dise ? Tu gravites à la péri-
phérie d'une dépression.

— Je sais.

— Et qu'est-ce que tu attends pour y remédier ?

— Tu crois que je n'ai pas essayé ? Je ne fais que ça, sauf que je n'ai pas les codes.

— Tu n'es pas censé les trouver tout seul. C'est pour ça qu'il n'y a pas de honte à consulter un psy. Je vais souvent m'allonger sur le canapé du docteur Hamel. Ça ne fait pas de moi un cinglé. Je veille seulement sur mon équilibre. Je mène un train d'enfer et j'ai besoin de juguler mes doutes. Le psy est plus qu'un confident, c'est un guide qui nous oriente sur la porte de sortie de nos crises, parfois un spéléologue qui descend nous chercher au fond de nos angoisses. Je t'aime bien, Driss. Tu es quelqu'un de formidable, un flic correct qui me rassure. Je suis triste de te voir dériver alors qu'il te suffit d'un seul bon coup de rame pour regagner ton port d'attache.

Driss préféra s'intéresser aux deux gamins qui s'amusaient avec leur chien. Ce que Malik lui disait, il se le disait tous les jours. Parfois, lorsqu'il finissait de se soûler dans les troquets minables, il se tournait vers les ivrognes attablés autour de lui et s'apercevait qu'il était le plus à plaindre.

— Je vais te faire une confidence, Malik : j'aurais aimé trouver ma femme morte, cette nuit-là.

Malik manqua d'avaler de travers.

Il posa sur le flic un regard consterné.

— C'est la plus monstrueuse confidence que l'on m'ait faite, et je n'en veux pas. Ce que ton épouse a enduré devrait te rendre plus attentionné à son égard. Des millions de femmes sont agressées tous les jours. Pourquoi veux-tu qu'elles en meurent ? Ton honneur n'abroge pas celui de ta femme. Et puis, il s'agit d'un viol, et l'honneur, dans ce cas précis, ne devient qu'une façon peu crédible de se voiler la face.

Driss se leva, descendit le perron qui menait à la plage, enleva ses chaussures et marcha en direction du pêcheur. La brise gonflait sa chemise. Le fracas des vagues supplantait le chahut dans sa tête. Un moment, il s'arrêta pour regarder les deux garçons jouer avec leur chien, rebroussa chemin et alla s'asseoir sur une dune.

— Quelle tête de mule, soupira Malik en se dépêchant de rattraper son ami… Tu fais quoi, ce samedi ?

— Que veux-tu que je fasse ? Je ne coche plus les jours sur mon calendrier.

— Des copains m'ont invité à une partie de chasse. Ça te dirait de te joindre à nous ?

— Je risque de blesser quelqu'un.

— Arrête avec ta déprime, s'il te plaît. Tu gâcherais une fête nationale à toi tout seul. Viens avec nous. Il y aura un barbecue. Ça te changera les idées.

Driss prit une poignée de sable et la filtra entre ses doigts.

— Je suis à chier, Malik. Tes copains t'en voudraient.

— Je prendrai sur moi.

— Non, je préfère rester dans mon coin.

Soudain, il crispa les mâchoires et s'écria presque :

— Je n'arrive pas à me situer, Malik. Putain, je n'arrête pas de ballotter d'un extrême à l'autre. Quand je rentre à la maison et constate que Sarah n'est pas là, je panique grave. Je pense tout de suite au pire. Si son corps ne gît nulle part, je me dis que sa mère l'aura sans doute emmenée avec elle à Kénitra. Et là encore, son absence m'accable et je me surprends à me languir d'elle comme c'est pas possible. Et puis, la voilà qui revient de chez une amie ou d'une promenade, et tout de suite je lui en veux d'être là et prie pour qu'elle disparaisse aussitôt de ma vue.

— C'est la raison pour laquelle tu dois retourner chez le docteur Hamel.

— Arrête de me les casser avec ton psy de merde, Malik. Et je ne parle pas de mes pieds.

Il se releva d'un bond et marcha furieusement sur le sable, droit sur la mer.

## 18.

Haj Yallel (le bijoutier de la rue Bella Vista qui était parti marier sa fille dans le Sud) passa le bouton de manchette sous une loupe sophistiquée, l'étudia sous plusieurs angles. Malgré les coups bas de l'âge, le vieillard conservait un œil aussi vif qu'un jet de laser.

— Ce joyau a bel et bien été réparé chez moi.

Driss libéra un soupir de soulagement.

— Vous avez entre les mains une pièce à conviction qui ne va pas tarder à être versée au dossier d'un fait divers explosif.

D'habitude, à Tanger, quand on parle de procès ou bien d'enquête criminelle, on jette un froid sur n'importe quel auditoire. Le bijoutier, lui, ne manifesta rien. Il se contenta de remettre le bouton de manchette sous la loupe pour confirmer de nouveau ses dires :

— C'est bien mon travail.

— Est-ce que je peux savoir à qui appartient ce bijou ?

— Ça dépend. Si la réparation date d'avant janvier 2017, je ne pourrai pas vous aider.

— Pourquoi donc ?

Le vieillard affaissa les épaules en signe de désappointement.

— On n'est jamais à l'abri d'une arnaque, dans notre métier.

— Dans le mien non plus. Les risques font partie de la vie.

Le vieillard n'en disconvint pas.

Il s'expliqua :

— Avant, la confiance régnait. Lorsqu'on me confiait un bijou, je me limitais à mentionner sur le bon la date du dépôt et un numéro de référence. Le client revenait récupérer son bien sans avoir besoin de sortir sa carte d'identité. Le bon suffisait. De cette façon, impossible de remonter au propriétaire.

— C'était une mauvaise idée. Les receleurs et les voleurs sont légion.

— La discrétion est une vertu, *moulay*. Il n'y a pas que le médical qui impose le secret.

— D'accord, s'impatienta Driss qui commençait à trouver le vieillard trop porté sur la conversation.

— Depuis qu'un client m'a soumis un bijou fantaisie avant de me menacer de me traîner devant les tribunaux en m'accusant d'avoir échangé son authentique rivière de diamants contre un collier de pacotille, poursuivit l'artisan, je ne laisse rien au hasard. Désormais, lorsqu'on me remet un

objet précieux à réparer, je le photographie avant
et après les réparations, lui établis une fiche
signalétique en bonne et due forme : marque et
caractéristiques du bijou, nom, adresse et téléphone du proprio. De cette façon, je ne risque pas
de me faire entuber une deuxième fois.

L'artisan s'installa devant son ordi, tripota le
clavier d'une main autoritaire en tapant «Boucheron» sur le serveur. Une liste de bijoux apparut
sur l'écran. Il cliqua sur un lien, puis sur un autre,
attendit deux secondes avant de gratifier le lieutenant d'un sourire triomphant.

— Vous avez de la chance, *moulay*.

Il fit pivoter l'écran de l'ordi vers l'officier de
police pour lui montrer les photos du bouton de
manchette avant et après réparation.

— Vous êtes sûr qu'il s'agit bien du même ?

— Absolument, monsieur. Il a été déposé chez
moi le lundi 3 février à 10 h 43 par Mme Layla
Jellad.

— Qui est-ce ?

L'artisan sourcilla :

— Vous ne connaissez pas Layla Jellad ?

— Je devrais ?

— Si vous êtes de Tanger, obligatoirement.

— Je ne suis pas de Tanger. Vous avez ses
coordonnées sur le fichier.

Driss récupéra le bijou, nota l'adresse de Layla
Jellad sur son carnet, insista pour que l'artisan
accepte un billet de cent dirhams et courut vers sa
voiture.

Layla Jellad avait du monde chez elle – une clique de dames de la haute, toutes sexagénaires richissimes plus ou moins conservées. Vautrées sur des bancs matelassés, dans le somptueux salon pavoisé de brocart et de coussins brodés d'or, nos charmantes dames papotaient, roucoulaient, se gondolaient en sirotant leur thé et en picorant avec grâce dans des assiettées de dragées.

La plus jeune d'entre elles était en train de raconter les circonstances de son deuxième veuvage lorsque le domestique, un malabar enturbanné au visage massif et aux larges épaules de déménageur, traversa obséquieusement le salon et vint chuchoter à l'oreille de sa maîtresse qu'un homme demandait à la rencontrer.

— Tu ne vois pas que je suis occupée ?

— C'est un officier de police, *moulati*. Il dit que c'est très important.

— Un flic ! Il ne manquait plus que ça. Fais-le patienter dans mon bureau.

D'une main excédée, elle congédia le domestique et invita la benjamine des convives à poursuivre son histoire.

— Où en étais-je ?

— À Vienne.

— Oui, Vienne. J'avais vingt-cinq ans, et mon deuxième mari cinquante de plus que moi. Il était hongrois par sa mère et danois par son père. Un aristocrate pur et dur, aussi strict que le code pénal. J'en avais bavé avant de m'adapter à la rigueur de son monde. Mais il ne me privait de rien. J'aurais demandé la lune qu'il m'aurait offert les étoiles qui vont avec. Il m'emmenait partout, New York, Rio de Janeiro, Caracas, Londres, Stockholm, Prague, Calcutta, Singapour, Macao, partout. Il était fou de moi. Un soir, nous rentrions de l'opéra quand, dans notre suite au Grand Palace, il m'a posé cette question somme toute anodine : «Qui suis-je pour toi, Hasna? Un amant, un époux ou bien un bailleur de fonds?» Et moi, tout écervelée que j'étais, je lui ai répondu : «Ce que j'aime chez toi, c'est ta signature sur un chèque.» C'était juste pour le taquiner, je le jure. Je l'aimais comme un père et j'étais heureuse d'être sa femme. Mais Niels n'avait pas une once d'humour. Il a verdi, puis il s'est mis à étouffer avant de s'effondrer en râlant, la main sur le cœur. Il a succombé à un infarctus dans l'ambulance qui le transportait à l'hôpital.

— Quelle chance! dit Layla. Mon mari a le cœur si bien accroché qu'il pourrait résister à la décharge de dix électrochocs.

Le domestique installa le lieutenant Ikker dans une vaste salle aux murs recouverts de bois noble. Une bibliothèque chargée de livres encyclopédiques s'étageait jusqu'au plafond. Des tableaux de maître étalaient le génie de leurs peintres un peu partout, au milieu de pétoires remontant à l'époque d'Abdelkrim el-Khattabi et de cimeterres de collection vieux de plusieurs siècles. Une large porte-fenêtre donnait sur un jardin de rêve droit sorti d'un panneau publicitaire.

— Madame vous prie de l'attendre ici.

— Je n'en ai pas pour toute la journée.

— Elle a des invitées. D'habitude, elle ne reçoit personne d'autre. Elle vous fait une faveur, croyez-moi. Vous voulez un café?

— Je veux fumer une cigarette.

— On ne fume pas dans cette demeure, mais vous pouvez aller sur la véranda, ajouta-t-il en ouvrant la porte-fenêtre.

Driss sortit sur la véranda.

Avant de se hasarder dans l'une des plus prestigieuses demeures de la ville, le lieutenant avait fait sa petite enquête sur les Jellad. Layla avait hérité de son père une fortune blasphématoire qu'elle n'arrivait pas à dilapider malgré un train de vie d'une rare extravagance. C'était une femme très influente, marraine de plusieurs associations caritatives et mécène vénérée par les artistes et les organismes culturels du pays. De ce côté-là, Driss savait qu'il n'était pas de taille à impressionner la dame et qu'il lui faudrait faire montre d'une grande diplomatie car Layla était en mesure de l'envoyer balader sans avoir à craindre le retour de manivelle. À Tanger, tout le monde lui mangeait dans la main. Quant à son mari, un parlementaire redoutable, il n'avait qu'à se moucher pour provoquer un tsunami.

— Quelle est donc cette urgence, monsieur?

Driss sursauta, tant il était plongé dans ses pensées.

Layla Jellad se tenait derrière lui, les bras croisés sur la poitrine, visiblement contrariée par la visite inopportune du policier.

— Madame Jellad ?

— C'est pour un recensement ou quoi ? Vous ne me reconnaissez pas ? Il faut être rudement culotté pour venir chez moi me poser une question aussi stupide… Ouais, madame Jellad. Qu'est-ce que vous lui voulez ? Faites vite, s'il vous plaît. J'ai du monde qui attend et qui a horreur de patienter.

— Je ne serai pas long, je vous promets.

— Vous auriez pu téléphoner avant de débarquer chez les gens de cette façon. Ça ne pouvait pas attendre demain ?

— Il est des choses qui n'attendent pas.

— Je ne crois pas, monsieur. Dans mon monde, c'est moi qui décide des priorités. Mais je présume que vous avez sans doute une raison assez solide pour oser gâcher mon après-midi.

Elle l'invita à la rejoindre dans le bureau et à occuper un fauteuil en face du sien.

— Que puis-je pour vous, monsieur l'agent ?

— Lieutenant Driss Ikker.

Elle émit un grelot dédaigneux et rectifia :

— Que puis-je pour vous, lieutenant Driss Ikker ?

En extirpant le bouton de manchette de sa poche, Driss s'aperçut que sa main tremblait.

— Ceci vous appartient, madame.

Layla effleura à peine le bijou des yeux.

— Une bonne partie de la ville m'appartient.

— Peut-être, mais les lieux du crime en question ne sont pas assez larges pour la contenir.

Layla déglutit au mot « crime ». Son arrogance en accusa le coup, mais pas suffisamment pour la désarçonner.

— Les lieux du crime, dites-vous ?

— Oui, madame. Ce bijou est la plus importante pièce à conviction dont nous disposons à la police. Quand nous avons appris que vous en êtes la propriétaire, mentit Driss, nous avons reçu des instructions strictes : y aller avec un maximum de discrétion pour que votre intégrité ne soit pas égratignée par les enquêteurs ni par les médias.

— C'est quoi ce délire ? Qui vous dit que ce bijou m'appartient ?

— Je ne me serais pas permis de venir gâcher votre après-midi, madame.

— Eh bien, on vous a mal renseigné.

— Il s'agit de l'enquête la plus importante de ma carrière, madame. Je n'ai pas droit à l'erreur.

— Ça ne justifie pas grand-chose.

Driss récita d'une traite :

— Bouton de manchette Boucheron, monture en platine sertie de diamants, émeraude 17 carats, déposé par Mme Layla Jellad le lundi 3 février à 10 h 43, pour réparation chez Or Fièvre, l'enseigne de l'artisan Haj Yallel, sise au 33, rue de la Bella Vista…

— Et alors ?

— Je ne vous accuse pas, madame. Bien au contraire, je veux supprimer votre nom de la liste des suspects pour deux raisons. D'abord, parce que la spécificité du crime en question vous met d'office hors de cause. Ensuite, parce que votre nom nous est trop cher pour qu'on laisse les agissements des autres l'éclabousser.

— C'est très gentil à vous, mais je n'ai rien à craindre de ce côté. Il se pourrait que le bijou m'ait appartenu. Il m'arrive souvent d'offrir des cadeaux à des proches et à des amis.

— À votre mari aussi, je suppose.

Elle sourit, une lueur méprisante dans les yeux.

— Pas seulement.

— Je vous en supplie, madame, soyez coopérative. Il y a urgence, je vous assure. Vous êtes un peu le symbole de notre ville. Votre générosité est une légende dans le pays. Vous avez toujours lutté pour l'émancipation de notre peuple, vous ne pouvez pas déprécier le travail de la police.

— Quelle est la nature du crime en question, lieutenant ?

— Viol, madame…

— La victime ?

— L'épouse d'un gradé de la police. Une dame respectable, issue d'une grande famille.

Layla souleva un sourcil.

— Je crois avoir vaguement entendu parler de cette histoire… Vous êtes sûr que le bijou y est pour quelque chose ?

— Il a été trouvé dans la chambre de la victime, madame.

— Le salaud !

Layla porta aussitôt la main à sa bouche. Trop tard. Le cri lui avait échappé. Elle rougit jusqu'au blanc des yeux. Toute sa fatuité affichée se décomposa en un clin d'œil ; le ravalement de façade qu'elle avait opéré une semaine plus tôt à Paris se disloqua.

— Le salaud, le salaud, le salaud !

Suffoquant de rage, Layla ne se rendait pas compte de ce qu'elle crachotait, ne voyait plus le policier en face d'elle. Les prunelles incandescentes, elle froissait un pan de sa robe entre ses doigts comme si elle arrachait la peau à son pire ennemi.

— Je savais qu'il n'était qu'un voyou, mais je ne le croyais pas aussi stupide. Je veux qu'il moisisse dans un bagne perdu dans le désert. Je veux qu'il soit si amoché que les rats n'en voudraient pas.

— Madame, madame, s'il vous plaît, calmez-vous.

— Ne me touchez pas ! hurla Layla. Que personne ne pose ses sales pattes sur moi. Reculez, reculez…

Elle courut derrière son bureau, griffonna quelque chose sur un bout de papier qu'elle tendit à Driss.

— Voici son nom et l'adresse de son studio d'enregistrement… Débarrassez la planète de cette vermine, lieutenant.

— Il en restera toujours.

Layla s'écroula sur le fauteuil, pantelante, littéralement chamboulée, se prit la tête à deux mains.

— Allez-vous-en, maintenant, je veux être seule.

Zahi, dit Tony, était le soliste du groupe raï Noujoum. Il n'était pas aussi célèbre que les Frères Megri ou Abdelwahab Doukkali, mais il avait réussi, en quelques tubes, à se faire un nom dans la chanson populaire maghrébine. Beau comme un prince, haut comme une tour, toutes les groupies du royaume avaient son poster dans leur chambre. Hormis son addiction au cannabis, que la presse à scandale adorait relater de long en large, Zahi était plutôt un garçon attachant. Poli, humble et instruit, il s'en sortait admirablement bien lorsqu'on essayait de le piéger dans les émissions de caméra cachée très en vogue durant le mois de ramadan.

Le studio d'enregistrement se trouvait dans l'arrière-cour d'une villa, à cap Spartel, un territoire aseptisé de Tanger. Le manager de Zahi, un jeune Berbère prénommé Dida, hésita longtemps avant d'ouvrir le portail de sa forteresse au lieutenant de police.

Il était contrarié, Dida. Très, très contrarié.

— Vous tombez au mauvais moment, dit-il à Driss. Pour une fois qu'il est sobre, vous vous pointez en plein enregistrement. Notre album accuse deux mois de retard, et nos sponsors s'impatientent.

Il s'agit du tube de l'été. Toutes les discothèques le réclament déjà.

— Et c'est quoi, mon problème ?

— Revenez dans une petite semaine. D'ici là, nous aurons tout terminé.

— Je ne suis pas venu l'interviewer, mais l'interroger.

— L'interroger à propos de quoi ?

— D'après toi ?… Lieutenant Ikker, de la Criminelle, pour vous servir.

Dida déglutit :

— Il s'agit sans doute d'une grossière erreur. Une conduite en état d'ivresse, une petite contravention sans gravité, je veux bien. Mais un officier de la Criminelle qui sonne à ma porte, sûr qu'on lui a refilé la mauvaise adresse.

— C'est ce qu'on va voir.

— Ce sera long ?

— Ça dépendra de ton protégé.

— Nous en avons pour des heures d'enregistrement.

— Raison de plus pour vous accorder une pause.


Driss observa Tony à travers la baie vitrée, entouré de ses musiciens. L'artiste avait la pêche. Il mettait du cœur à l'ouvrage ; le tube n'était pas mal du tout.

— Est-ce qu'il a l'air d'un dangereux criminel, lieutenant ?

— J'ai connu un tueur en série à qui on aurait donné le bon Dieu sans confession.

Dida exhala un soupir. Il céda :

— Nous avons un petit salon, derrière, avec un frigo garni. Tony vous y rejoindra dès que possible.

— Je dérangerais quelque chose si je restais ici ? J'aimerais bien voir comment on enregistre un tube.

— Tony ne vous connaît pas. Votre présence risque de le déconcentrer.

— D'accord, je vais attendre dans le petit salon.

Tony arriva une vingtaine de minutes plus tard. Il trouva le lieutenant assis dans un fauteuil, un verre d'eau glacée à la main.

— Il paraît que vous allez me faire des misères, lieutenant, dit-il avec un large sourire.

Il ne semblait nullement préoccupé, Tony. Bien au contraire, il était décontracté, presque jovial.

— Désolé de tomber comme un cheveu dans la soupe.

— Vous faites votre boulot, lieutenant. Je suis à votre disposition, ajouta-t-il en se laissant choir sur un canapé.

Driss posa le bouton de manchette sur la petite table en verre qui le séparait de l'artiste. Tony ramassa le bijou, le tourna et retourna dans sa main.

— J'ignore si c'est le même, mais j'ai eu en ma possession un objet qui lui ressemble, avoua-t-il.

— J'ai vérifié. Ce bijou est bien le vôtre. Layla Jellad vous l'a offert. C'est d'ailleurs elle qui m'a orienté sur vous.

— Dans ce cas, c'est le bon. (Il posa le bijou sur la table.) Sauf qu'elle a omis de vous dire que je le lui avais rendu.

— Parce qu'il n'était pas assorti à votre chemise ?

Tony passa une main ennuyée sur son visage d'Adonis qu'une imperceptible moustache soulignait avec talent.

— Layla est un peu la reine Margot locale, raconta-t-il, une prédatrice de premier ordre qui s'envoie tous les beaux gosses du pays en les couvrant de cadeaux. Il paraît qu'avant de les offrir, elle confie les bijoux à un marabout pour qu'il leur insuffle un pouvoir talismanique afin que Madame puisse assujettir ses proies comme bon lui semble.

— Je ne vous savais pas mauvaise langue, monsieur Zahi.

— C'est la vérité.

— Ce n'est pas celle que je suis venu chercher.

— Et que voulez-vous savoir ?

— Comment ce bijou s'est retrouvé en *ma* possession.

— C'est à Layla qu'il faut poser la question, lieutenant. Puisque je lui avais restitué son bien. Je ne connaissais cette dame que de réputation. Un soir, à la fin d'un festival de raï auquel j'avais participé, elle est venue me voir dans ma loge pour me dire combien ma voix l'envoûtait. Avant de me quitter, elle m'a offert une paire de boutons de manchette en signe de gratitude. J'aurais dû ne pas l'accepter, mais je l'ai fait. Elle paraissait tellement heureuse de me faire plaisir. Puis elle s'est mise à m'appeler tous les jours au téléphone et à m'inviter aux soirées qu'elle organisait chez elle. Je pensais naïvement qu'elle voulait être ma marraine. Je me trompais. Elle voulait me mettre dans son lit. J'ai dit non. Je n'en ai pas l'air, mais je suis très fidèle et j'adore mon épouse. Un soir, Mme Jellad s'était mise à poil pour me forcer la main. Je l'ai repoussée avec fermeté. Elle a menacé de briser ma carrière d'artiste. Là, elle m'a vraiment dégoûté. Le lendemain, je suis retourné chez elle pour lui rendre son cadeau. Elle m'a dit que les bijoux lui avaient coûté la peau des fesses alors que je ne méritais même pas qu'elle me pisse dessus. J'ai jeté les bijoux par terre et je les ai piétinés pour lui signifier le mépris que j'éprouve pour les cadeaux empoisonnés. Je crois avoir cassé l'un des deux boutons. Layla est entrée dans une colère abominable. Elle a promis de m'envoyer au bagne pour agression sexuelle. J'avoue que durant des semaines, je me suis attendu à voir la police débarquer chez moi. Je ne dormais presque pas. Mais personne n'est venu m'arrêter.

# 19.

Abdel Raouf fronça les sourcils en entendant un violent crissement de freins dans la rue. Personne ne freinait de cette façon aux Palmiers, un huis clos résidentiel dans le très chic quartier Californie. Il jeta un coup d'œil par la fenêtre de son bel appartement et esquissa un rictus désenchanté en reconnaissant la voiture de Layla Jellad. D'habitude, lorsque Layla prévoyait une partie de jambes en l'air, elle s'annonçait afin de le mobiliser, mais il lui arrivait parfois de débarquer à l'improviste pour vérifier si une rivale n'était pas dans le lit de son *boy*.

Abdel venait à peine de se lever après une soirée arrosée. Il se débarbouilla rapidement dans la salle de bains, enfila un jogging et un T-shirt et courut attendre la visiteuse sur le palier, un sourire de steward sur les lèvres – sourire qui s'estompa aussitôt : la figure de Layla tressautait de tics courroucés.

— Un problème, mon amour ?

— C'est toi qui vas avoir un sacré problème, lui rétorqua-t-elle en le bousculant sur le côté.

Elle s'engouffra dans le salon, haletante de fureur.

— Espèce de traître, lui cria-t-elle dès qu'il eut refermé la porte derrière lui.

— Tu me crois capable de traîtrise, Layla?

— Tous les hommes sont des traîtres, et tu n'es ni meilleur ni pire que les autres. Mais moi, je ne suis pas n'importe quelle femme. Quand un petit salaud de ton acabit joue avec le feu avec moi, je lui crache dessus pour l'éteindre sur-le-champ. Mais avant, je m'en vais te piétiner jusqu'à te réduire en pâtée pour chien.

Abdel écarta les bras en signe de totale incompréhension.

— Ai-je fait quelque chose de mal, mon cœur?

Layla lui sauta dessus et se mit à lui marteler la poitrine avec ses poings. Abdel ne sut pas s'il devait subir ou réagir. Il se limita à esquiver les coups et à mettre son visage à l'abri des griffes de la tigresse.

— Je t'en prie, ma fée, arrête. Tu me fais mal.

— Tu n'es qu'un torchon, Abdel, un torchon dégueulasse.

Il la ceintura pour la neutraliser; elle lui mordit l'épaule.

— Explique-moi, bordel, gémit Abdel. Pourquoi tu es en train de me taper? Regarde, mes bras sont tout écorchés. Tu veux me saigner à blanc?

D'accord, mais avant, dis-moi ce que tu me reproches.

— Ne fais pas ton innocent, espèce d'ingrat !

— Vas-tu te calmer à la fin ?

— Pas avant de te transformer en bouillie, sale petit fumier.

Excédé, Abdel la saisit par la taille et la catapulta contre un sofa. Layla se releva, la bouche distordue, les yeux exorbités de fiel.

— Où sont les boutons de manchette que je t'avais offerts pour ton anniversaire ?

— Quel rapport ?

— Où sont-ils ?

— Quelque part dans mes tiroirs.

— Montre-les-moi.

— Pourquoi ?

— Parce que tu ne les as pas. Parce que tu les as oubliés chez la traînée avec qui tu t'envoies en l'air pendant que j'ai le dos tourné. Tu oses me tromper après tout le mal que je me donne pour toi ? Cet appartement, c'est moi qui te l'ai acheté. C'est moi qui l'ai meublé. Ton frigo, c'est moi qui l'approvisionne. Jusqu'à tes chaussettes, jusqu'à ton slip, c'est moi qui te les achète. Je ne suis pas allée à Paris faire du shopping, mais pour me faire belle pour toi. Et à quoi tu joues lorsque je suis ailleurs ? Tu cours baiser la première salope que tu ramasses sur ton chemin.

— Je jure que je n'ai pas touché à une femme en ton absence, mon cœur. Sur la vie de ma mère.

— Ta mère est morte.

— Tu te fies aux ragots, maintenant, mon âme ? C'est sûrement des envieux qui cherchent à torpiller notre bonheur. Dieu Lui-même nous met en garde contre les jaloux. Pourquoi veux-tu que je dévaste mon nid d'amour, Layla ? Tu es la plus merveilleuse histoire qui me soit arrivée, mon conte de fées, ma légende. J'étais perdu sans toi. Comment puis-je mordre la main que je suis censé embrasser avec ferveur et affection de jour comme de nuit ?

— Ne t'approche pas de moi avant de m'expliquer comment tes boutons de manchette se sont retrouvés dans la chambre de l'épouse d'une autorité locale.

— Quoi ?

— La comédie n'est pas ton rayon, Abdel. Ne me raconte pas de salades, ne me dis pas que c'était à l'occasion d'une soirée entre amis. Les bijoux n'ont pas été trouvés dans le salon, mais dans la chambre à coucher…

— Je les ai perdus au poker, trancha Abdel, aussi net qu'un couperet.

Il y eut un silence assourdissant. Comme si quelqu'un avait brusquement coupé le son au beau milieu d'un charivari. On n'entendait plus que la respiration oppressée de Layla en train de contenir sa furie.

— Perdus au poker ?

— C'est la vérité, mon trésor.

— Tu avais promis de renoncer à tes vices de vaurien.

— J'ai essayé, je t'assure. J'ai arrêté la drogue, mais le jeu, je n'y arrive pas.

— L'argent que je te donne ne te suffit pas? Est-ce que je t'ai refusé quoi que ce soit? Tu voulais une voiture, je t'ai acheté une voiture. Tu voulais une Rolex, je t'ai acheté une Rolex. Qu'espères-tu gagner de plus au poker?

— Ce n'est pas une question d'argent, mon cœur. Quand tu n'es pas là, je m'ennuie grave. Alors, je vais retrouver des copains qui, eux aussi, jouent pour tromper le froid de leur solitude.

Elle le dévisagea longuement.

— Prouve-le.

— Te prouver quoi?

— Que tu n'as pas oublié ton bijou chez une traînée.

— Je jure de l'avoir perdu au poker.

— Dans ce cas, j'exige le nom de l'heureux gagnant.

— Pourquoi, chérie? Je l'ai perdu, point barre. Si tu comptes le racheter, je n'en voudrai pas.

— La situation est plus grave que tu ne l'imagines, mon lapin. Le bijou est entre les mains de la police. Selon l'enquêteur, c'est une redoutable pièce à conviction. Le bouton de manchette a été trouvé dans la chambre conjugale d'une autorité locale dont l'épouse a été sauvagement violée.

Abdel recula d'un pas, estomaqué.

— Et tu me crois capable de violer la femme d'une autorité? Tu me vois prendre des selfies avec un peloton d'exécution? Toi-même me reproches de manquer de courage. Comment veux-tu que je coure des risques de cette nature ?

— L'enquêteur est venu m'interroger cet après-midi. J'ignore comment il a fait pour remonter jusqu'à moi, mais il était très bien renseigné. Je l'ai envoyé sur une fausse piste pour d'une part gagner du temps afin de tirer au clair cette histoire, et d'autre part pour te trouver un solide alibi. Si tu as effectivement perdu le bijou au poker, tu ne risques plus rien. Mais, tu n'as pas intérêt à me mentir, je te préviens.

— Je ne te mens pas.

— Alors donne-moi le nom du gagnant.

— Tu comptes faire quoi avec ?

— L'enquêteur ne va pas tarder à savoir que je lui ai caché la vérité. Il va sûrement me demander des explications. J'ai besoin du nom du gagnant pour l'éloigner définitivement de nous deux.

— Naël n'est pas un violeur.

— Ça, ce n'est ni ton problème ni le mien. C'est à la police de se démerder… Naël comment ?

Abdel réalisa qu'il n'avait pas le choix. Layla obtenait toujours ce qu'elle exigeait. Il baissa la tête et lâcha d'une voix dépitée :

— Gnaoui, Naël Gnaoui.

— Il a une adresse ?

— Il tient un Baboucheshop, rue Dar Dbagh.

Layla se précipita aussitôt sur le téléphone fixe qui trônait sur un guéridon pour appeler le commissariat central.

— Le lieutenant Ikker n'est pas dans son bureau, madame Jellad, l'informa le standardiste.

— Il faut que je lui parle. C'est à propos de son enquête.

— Je n'ai pas son numéro de portable.

— Comment est-ce possible? Vous feriez comment pour joindre vos troupes si un grave incident survenait?

— Je ne suis que le standardiste, madame. Avez-vous un numéro où le lieutenant Ikker pourrait vous rappeler dès son retour?

— Je ne vais pas attendre son retour. C'est urgent. Passez-moi votre supérieur.

— De quoi s'agit-il au juste, madame?

— De l'affaire du bouton de manchette…

— De quoi, madame?

— Dites seulement bouton de manchette à votre supérieur. Il comprendra.

— Bien, madame. Ne quittez pas, s'il vous plaît.

En retournant chez elle, Layla Jellad constata qu'un véhicule bloquait l'accès au garage. Elle se rangea devant la grille principale de sa demeure et sortit son téléphone pour alerter la fourrière.

— Ce n'est pas la peine, lui dit Driss en grimpant à côté d'elle.

— C'est votre voiture, lieutenant?

— Oui. Ça fait plus d'une heure que je vous attends.

— J'ai essayé de vous joindre au commissariat, mais on m'a dit que vous n'étiez pas dans votre bureau.

Driss accusa un sursaut.

— Vous n'auriez pas dû appeler le commissariat, madame. Il s'agit d'une affaire strictement confidentielle.

— Je voulais vous prévenir que je m'étais trompée sur la personne.

Driss était très contrarié. Une ride lui ravina le front.

— Vous avez parlé à qui ?

— J'en sais rien, à un gradé sûrement... Bref, vous êtes là, et je suis soulagée.

— Je suppose que vous devinez pourquoi je vous guette depuis une heure sous un soleil de plomb.

— Absolument. Je tiens à vous présenter mes plus plates excuses. Rentrons nous rafraîchir et dissiper ce petit malentendu.

— Je suis pressé, madame. Je suis allé interroger M. Zahi...

— Justement, je voulais vous éviter ce déplacement parce que je m'étais trompée. J'étais en colère et j'ai dû vous orienter sur la mauvaise personne. Zahi m'avait restitué les bijoux. Un de mes domestiques, pendant que j'étais à Paris, les a perdus au poker.

— Je suppose qu'il était soûl et qu'il ne se souvient pas du joueur qui l'a déplumé.

— Bien au contraire, il m'a fourni le nom et l'adresse de l'heureux gagnant, dit Layla en lui remettant un bout de papier.

Le lieutenant l'empocha. Au moment où il s'apprêtait à descendre de voiture, Layla le retint par le poignet.

— J'ai quelque chose d'autre pour vous, mon ami.

Elle lui tendit un petit boîtier enrubanné.

— Qu'est-ce que c'est ?

— Un petit cadeau.

— En quel honneur ?

— En signe d'excuses, lieutenant. Une jolie chevalière de chez Cartier.

— J'ai déjà la corde au cou, madame, lui dit Driss.

## 20.

Naël Gnaoui n'était pas dans sa boutique de babouches, rue Dar Dbagh. Joint au téléphone, il promit d'être à son poste avant la fin de l'après-midi.

En attendant, Driss alla se restaurer dans une gargote.

Après le repas, il appela l'inspecteur Brik :

— Tu as réussi à me procurer les relevés téléphoniques que je t'ai demandés ?

— Je les ai remis au brigadier Farid.

— Pourquoi au brigadier ?

— Je vous ai laissé plusieurs messages sur votre répondeur. Comme vous ne me rappeliez pas, j'ignorais où vous contacter.

Driss donna rendez-vous à Farid dans un café, non loin de la rue Dar Dbagh. Le brigadier s'y présenta aussitôt, avec une enveloppe scotchée.

— Je suis passé plusieurs fois chez vous, lieutenant. L'inspecteur m'a chargé de vous remettre la lettre en mains propres, mais votre téléphone est tout le temps verrouillé.

— Je n'avais plus d'unités, ironisa Driss avant de congédier le brigadier.

Une fois seul, il ouvrit l'enveloppe pour vérifier si, comme le prétendait le standardiste du commissariat central, quelqu'un avait téléphoné de chez lui dans la nuit du 8 au 9 avril, et quelle ne fut pas sa surprise lorsqu'il découvrit que les relevés de son téléphone domestique indiquaient huit appels sortants et trente-six appels entrants, tous en liaison avec le commissariat central. L'appel du 8 au 9 avril figurait sur la liste. Il était enregistré à 1 h 54. Mais ce qui chamboulait Driss était ailleurs : il ne se souvenait pas d'avoir utilisé le téléphone fixe de chez lui depuis sa mutation à Tanger.

Désarçonné, il commanda un café bien dosé et fuma cigarette sur cigarette jusqu'à saturation.

Naël Gnaoui était un jeune homme d'une trentaine d'années, si pâle et maigre qu'on l'aurait cru échappé des mains du croque-mort. Tout en lui fonctionnait au ralenti. Sa voix traînait en longueur, ses gestes étaient mous ; le moindre mouvement semblait le soumettre à des efforts titanesques.

Il mit un temps fou à contempler le bouton de manchette avant de balbutier :

— Oui, ce machin m'a appartenu un soir, pas plus.

— C'est-à-dire ?

Naël tituba sur place, les yeux dans le vague. Il présentait les symptômes de quelqu'un qui venait de se shooter aux barbituriques sans modération.

— Ben, j'savais pas quoi en faire. Je l'avais gagné à une partie de poker et j'avais peur que le perdant revienne me le réclamer. Paraît que ça vaut la peau des fesses, ce truc-là. Alors, j'ai fourgué la paire à un copain dès le lendemain.

— Il a un nom, ton copain ?

Ben Amar était un intermittent des commissariats. Fiché à tous les postes de police du pays, il passait plus de temps derrière les barreaux que dans l'arrière-boutique de son magasin de fripes enfoui dans une ruelle tortueuse de Bni Makada, un quartier populeux où la police se cassait parfois les dents lors des descentes musclées. Ce fut donc avec infiniment de précautions que le lieutenant Ikker s'y hasarda. Il prit soin de ranger sa voiture sur un parking gardé et continua à pied jusqu'à l'endroit indiqué par Naël Gnaoui.

La boutique était une sorte de caverne d'Ali Baba encombrée de frusques *made in China*, de baskets de contrefaçon, de survêts bas de gamme et de piles de vêtements d'occasion rapportés des brocantes espagnoles ou achetés au rabais aux douanes.

Un gamin gardait la marchandise sur le pas de la boutique. Il portait un kamis et des babouches de prière, une chéchia trop petite pour sa tête cabossée et avait les yeux soulignés au khôl à la manière des salafistes.

— Il te manque juste la barbiche pour surgir de ta bouteille, lui dit Driss.

Le gosse plissa un œil à cause du soleil, se pencha sur le côté pour identifier la silhouette qui venait d'entrer dans son champ de vision.

— Ben Amar est là?

Le gamin fit non de la tête.

— Tu veux bien aller le chercher?

— J'sais pas où il est.

— Tu peux l'appeler sur son portable?

— Je ne suis que le rabatteur. J'ai pas les moyens de m'offrir un téléphone.

Un vieillard montra la tête dans l'entre-bâillement d'une tenture camouflant l'accès à l'arrière-boutique.

— Qu'est-ce que vous lui voulez, à Ben? chevrota-t-il.

— C'est confidentiel.

— Vous êtes qui?

— Un ami.

— Je connais tous les amis de Ben. Je n'ai pas l'impression de vous avoir croisé dans le secteur. En tous les cas, Ben est en voyage.

— Il rentrera quand?

Le vieillard leva les mains au ciel.

— Dieu seul le sait.

Sur ce, il s'éclipsa.

Driss se tourna vers l'adolescent qui s'ensommeillait déjà sur sa chaise en osier.

— Je reviendrai demain à 10 heures. Dis-lui qu'il a intérêt à être là.

La nuit tomba comme un rideau. Driss regagna le parking pour récupérer sa voiture. Il décida de rendre visite à son ami Malik Bahri. En route, il eut l'impression qu'une voiture lui collait au train. Il la sema à deux reprises, mais elle le rattrapa. Driss se rangea sur le bas-côté pour voir qui était au volant. Le véhicule suspect bifurqua aussitôt et ne réapparut plus.

Driss dîna chez son ami sur la véranda, face à la mer démontée. Le fracas des vagues et la rumeur de la plage lui firent du bien.

Vers minuit, il prit congé de son hôte.

En sortant dans la rue, il ne vit pas arriver une voiture tous feux éteints. Sans le cri de Malik, Driss aurait été heurté de plein fouet. Le lieutenant eut juste le temps de se jeter en arrière. Quelque chose effleura sa cuisse ; il tomba à la renverse, la tête contre le trottoir.

Driss se réveilla dans une petite clinique privée. Malik était à son chevet tandis qu'une dame en blouse blanche finissait de l'ausculter.

— Plus de peur que de mal, diagnostiqua-t-elle. Une petite bosse, mais aucun traumatisme crânien.

— Il a perdu connaissance à deux reprises, se préoccupa Malik.

— Le scanner n'a rien décelé d'alarmant, monsieur Bahri. Vous pouvez emmener votre ami chez lui sans problème.

— Vous ne le gardez pas en observation ?

— Ce n'est pas nécessaire, le rassura-t-elle.

Driss préféra passer la nuit chez son ami.

Le tonnerre éructa dans un fracas assourdissant. Driss consulta sa montre. Il était 8 heures du matin, et il faisait sombre comme si la nuit refusait de se retirer. De gros nuages déployaient leur chape de plomb sur la ville tandis que la mer, qui ne décolérait pas depuis la veille, ruminait ses humeurs massacrantes dans un roulis apocalyptique. Au large, un orage se préparait à déferler sur le rivage, chargé de pluie et d'éclairs déchirants.

— Tu devrais attendre l'éclaircie, suggéra Malik. Il va faire un temps à ne pas mettre un chien dehors.

— Un chien peut-être, pas les flics, dit Driss en avalant la dernière gorgée de son café.

— Tu risques de choper la crève avec ton veston.

Malik alla lui chercher un trench-coat et une écharpe.

— Tu as appelé ta femme ?

Driss ne répondit pas.

Malik raccompagna son ami jusque dans la rue. Les premières gouttes de pluie se mirent à étoiler le sol.

Driss scruta d'abord les alentours avant de monter dans sa voiture. Il adressa un petit signe de la main à son hôte et démarra. Il rejoignit la voie rapide, un œil devant, l'autre dans le rétroviseur à l'affût d'un véhicule suspect.

Ben Amar ne se manifesta pas. Driss l'attendit jusqu'à 11 heures, dans un petit café sur le trottoir d'en face. Il revint après le déjeuner, puis tard dans l'après-midi. En vain.

Le lendemain, Driss trouva trois hommes hirsutes en train de le guetter au coin de la rue. Ils l'interceptèrent avant qu'il atteigne la boutique et le prièrent de les suivre dans un local désaffecté.

— Qu'est-ce que tu lui veux, à Ben ? carcailla le plus âgé, visiblement exaspéré.

— Vous êtes qui ?

— Ses frères.

Driss dévisagea les trois gaillards et leur trouva un air de brutes. Les ondes qu'ils dégageaient auraient fait fuir une meute de chacals. Le lieutenant ne se laissa pas démonter. Il garda la tête froide et le regard fixe.

— J'ai quelques questions à lui poser.

— T'es quoi, putain ? Journaliste ou fouille-merde ?

— Pire, je suis flic. Lieutenant Driss Ikker.

En une fraction de seconde, les trois individus changèrent d'attitude et se firent presque conciliants.

— Excusez-nous, fit l'aîné de la fratrie. On vous prenait pour un gars des impôts.

— C'est pour ça que Ben s'est inscrit aux abonnés absents ?

— Les affaires tournent mal pour le frangin et les gars des impôts ne veulent rien savoir. Ils n'arrêtent pas de le harceler. Il va le trouver où, l'argent, Ben? Il fait ce qu'il peut. Ben a toujours été réglo. Sauf que par ces temps de crise, il n'en mène pas large.

— Comme c'est touchant.

— Et vous lui voulez quoi au juste, monsieur le policier?

— Ça ne vous regarde pas.

— Nous sommes ses frères.

— Il s'agit d'une affaire criminelle.

Les trois hommes échangèrent des œillades ahuries.

— Vous êtes sûr de ne pas vous tromper, monsieur le policier?

— On verra bien.

— Pourtant, on a réglé la question, dit le plus jeune des frères. On nous a promis qu'il n'y aurait pas de poursuites. Vous êtes sûrement en retard. Vos chefs ne vous ont rien dit? On a payé cash, monsieur, pour que l'affaire soit classée.

— Je ne vois pas de quoi vous parlez.

Les trois frères se consultèrent du regard, de plus en plus intrigués.

— Ben n'a rien fait depuis, attesta l'aîné. Les Amar sont légion. Nous avons des cousins partout. Le Ben que vous cherchez n'est pas le nôtre. Depuis qu'on a effacé son ardoise, notre frangin se tient à carreau. Il s'est rangé pour de bon.

Driss comprit que les trois brutes et lui n'étaient pas sur la même fréquence. Il décida de passer à la vitesse supérieure.

— Votre frère est mal barré. S'il continue de jouer à cache-cache, il ne fera qu'aggraver son cas. Vous avez intérêt à l'assagir si vous ne tenez pas à ce qu'il finisse le restant de sa vie dans une cellule grouillante de rats.

— On peut savoir ce que vous lui reprochez ?

— Non. Je vais revenir vers 19 heures. S'il n'est pas au rendez-vous, je m'arrangerai pour que vous ayez, vous aussi, de gros problèmes.

— Attention, mon gars, menaça le cadet en retroussant les lèvres sur une grimace dégoulinante de bave, faut pas croire qu'on est des petites frappes. On sait parer à tout et on a le bras long.

— Tais-toi, lui intima son frère aîné. Y a sûrement un malentendu.

À 19 heures, Ben Amar ne se montra nulle part. Quant à la boutique, elle avait baissé le rideau et mis de gros cadenas dessus.

Driss erra dans le quartier dans l'espoir de croiser le petit rabatteur ou l'un des trois frères, demanda à quelques boutiquiers s'ils connaissaient Ben Amar et s'ils savaient où il créchait, n'obtint que de vagues gargouillis qui hésitaient entre l'ignorance et l'omerta. La pluie se remit à crachoter. Les vendeurs à la sauvette remballèrent leur camelote et, en quelques minutes, les ruelles furent désertées. De rares commerçants s'oubliaient dans leurs locaux, trop épuisés pour s'arracher à leurs bancs. Des mioches, par grappes, regagnaient leurs terriers. Soudain, au détour d'une venelle, deux hommes surgirent d'une porte cochère et se jetèrent sur le lieutenant. Pris de court, Driss ne put éviter le coup de pied qui lui foudroya l'entrejambe ni le poing qui manqua de l'assommer. Il cogna à l'aveugle, parvint à repousser l'un des assaillants ; l'autre tenta de le ceinturer par-derrière.

— Hé ! cria une voix de femme. Qu'est-ce que vous êtes en train de lui faire, à ce pauvre malheureux ?

— C'sont des voleurs... Au voleur ! Au voleur !

Driss paniqua en reconnaissant le scintillement d'une lame de couteau dans le poing de l'agresseur en face de lui. Il se jeta contre le mur pour écraser la sangsue qui le tenait fermement, donna des coups de pied dans le vide pour tenir à distance l'homme armé, sentit une brûlure sur son poignet, puis une autre à l'épaule ; la lame revint une troisième fois sur lui, siffla à deux centimètres de son oreille. Dans un sursaut de survie, il réussit à pivoter sur lui-même. La lame s'enfonça dans le dos de l'agresseur qui le neutralisait par-derrière. Un râle déchira le silence ; l'étreinte qui ceinturait Driss rompit. Aussitôt, des cris se firent entendre dans un bruit de pas de course. Driss reçut un shoot sur le menton et s'écroula. Il eut juste le temps de voir les deux agresseurs déguerpir, des riverains à leurs trousses.

Driss remercia l'infirmière et se rhabilla. Ses blessures à la main étaient superficielles et l'entaille en haut du bras n'eut besoin que de cinq points de suture. Il sortit de la salle de soins avec un pansement sur l'épaule et le poignet bandé.

Malik Bahri l'attendait dans le corridor de la clinique.

— J'ai fait aussi vite que j'ai pu.

— Je crains de t'avoir dérangé pour rien, mon ami. J'ai pensé que j'aurais besoin de quelqu'un pour me ramener chez moi, mais je n'ai que des égratignures.

Il lui tendit son trench-coat.

— Désolé pour ton imper. Mes agresseurs l'ont taillladé.

— Que s'est-il passé ?

— Traquenard à Bni Makada. Sans l'intervention des gens du quartier, les choses auraient mal tourné pour moi.

— Qu'es-tu allé fabriquer dans ce coupe-gorge ?

— D'après toi ?

Ils traversèrent un petit jardin quadrillé de lampadaires nains. Le ciel s'était dégagé par endroits ; on pouvait voir les étoiles et les lumières clignotantes des avions survolant l'océan.

— On fait quoi ? s'enquit Malik quand ils arrivèrent sur le parking.

— Je veux rentrer chez moi, mais avant, il faut que je me change. Sarah va m'embêter avec ses questions si elle remarque tout ce sang sur mes vêtements.

— J'ai ce qu'il te faut à la maison.

— Vas-y devant, je te suis.

— Je préfère que tu montes avec moi dans ma voiture. Mon chauffeur s'occupera de la tienne. Donne-moi les clefs.

Malik appela son chauffeur qui se tenait derrière le volant d'une grosse cylindrée, lui balança les clefs qu'il saisit au vol.

— Occupe-toi de la Peugeot gris métallisé là-bas, et suis-nous.

Driss s'installa sur le siège passager de la grosse cylindrée et s'alluma une cigarette.

— Baisse au moins la vitre, lui dit Malik.

— Il fait froid.

— Alors, prends ton mal en patience jusqu'à la maison. J'ai horreur de conduire une bagnole qui empeste la clope.

— Je peux conduire à ta place, si tu veux.

— Idiot.

Ils quittèrent l'enceinte de la clinique, traversèrent un pâté de maisons badigeonnées de couleurs vives. Depuis quelques années, Tanger s'escrimait à redorer le blason de ses vieux quartiers et semblait réussir son lifting. Les trottoirs étaient de moins en moins encombrés de sacs-poubelle éventrés ; des pelouses remplaçaient progressivement les terrains vagues et les galopins ne lapidaient plus les réverbères.

— Tu dois faire attention à toi, Driss. Hier, tu as failli te faire renverser par un chauffard et aujourd'hui…

— Ce n'était pas un chauffard.

Malik rétrograda brusquement ; le moteur cafouilla et manqua de s'arrêter.

— Ce n'était pas un chauffard ?

— Et aujourd'hui, ce n'étaient pas des voleurs, non plus.

— Tu deviens parano ou quoi ?

— Trop de coïncidences disqualifient le hasard.

Malik sourcilla.

— Non.

— Si.

— Tu crois que quelqu'un te veut du mal ?

— Ça crève les yeux.

— Et tu comptes, malgré ça, mener ton enquête en solo ?

— Je me débrouille assez bien comme ça, jusqu'à présent.

— Tu devrais mobiliser tes collègues.

— Je n'ai pas confiance.

Malik attendit de négocier un virage serré avant de lâcher :

— Tu n'es qu'un crétin, si tu veux mon avis.

— Je n'en veux pas.

— Tu as une idée de qui il s'agit ?

— Pour l'instant, j'en ai une quant à l'endroit où placer le collet. Il ne reste qu'à attendre que le furet sorte de son trou.

## 21.

Sarah fixait pensivement le repas qu'elle s'était fait livrer depuis une heure. Assise au bout de la table, dans l'immense cuisine où elle se sentait à l'étroit, elle s'étiolait dans le mutisme des meubles qui semblaient se recueillir autour d'elle. Dans sa tête tournait en boucle un poème qu'avait déclamé un troubadour sur la place Jemaa el-Fna, un soir des *réconciliations possibles* qui seyait si bien aux bons auspices de Marrakech :

> *Lorsque s'en va l'amour*
> *Il part pour de bon*
> *On ne retient pas le vent*
> *Ni la fuite des jours*

Elle n'avait pas touché à son dîner.

Elle était là, l'œil dans le flou et le vague à l'âme. Depuis que son mari la négligeait, elle se laissait aller à quelque chose qui l'éloignait d'elle-même – quelque chose de diffus qui tenait un peu du clair-obscur et qui se répandait en brume glaçante dans son esprit, accentuant sa mélancolie. Les sorties avec Narimène n'arrangeaient pas grand-chose. Bien au contraire, elles rendaient les retours à la maison plus frustrants que les nuits blanches qui avaient tendance à se renouveler. Sarah était fatiguée d'attendre Driss à des heures impossibles, de constater dès le réveil qu'il était déjà parti. Ils ne partageaient plus le même lit, et s'il leur arrivait encore de cohabiter sous le même toit, tout un gouffre les situait aux antipodes l'un de l'autre. Combien de fois était-elle restée absente face à une glace, indifférente au chagrin en train de ternir sa beauté de princesse déchue ? Combien de fois s'était-elle étranglée en avalant un verre d'eau ? Sa gorge asséchée par les soupirs ne laissait rien passer. Sarah avait beau se gaver d'anxiolytiques, elle demeurait éveillée à sa douleur, telle une fracture ouverte. Ses sommeils ne lui accordaient ni répit ni oubli, ils étaient hantés de rêves dérangeants ; ses draps étaient moites de sueurs froides. Parfois, au milieu d'un cauchemar, elle se réveillait en sursaut, les bras devant et le cœur en déroute, pour s'apercevoir qu'elle aurait mieux fait de ne pas se réveiller du tout…

Elle accusa un léger soubresaut lorsqu'une voiture s'arrêta dans la rue. La grille extérieure ferailla ; des phares firent courir leur lumière sur les murs de la cuisine ; la porte du garage coulissa dans un crissement strident, puis le silence.

Sarah joignit ses mains devant sa bouche, aspira pour se donner du cran. Son échine se redressa d'instinct quand le bruit des pas de son époux envahit le corridor.

Driss accrocha sa veste dans le vestibule, remonta jusqu'aux coudes les manches de sa chemise. Sans regarder son épouse, il prit une bouteille d'eau dans le frigo et but au goulot.

— Pourquoi tu ne réponds pas au téléphone, Driss?

Il y avait, dans la voix flageolante de Sarah, l'expression d'un ras-le-bol à peine voilé. Driss avait appris à déceler la colère en gestation de son épouse. Ça commençait par une question, puis ça se prolongeait dans des reproches avant de finir en cris de sommation.

— Mon portable déconne.

— Il va déconner longtemps?

Driss remit la bouteille d'eau dans le frigo et s'apprêta à monter au premier.

— Je suppose que tu as dîné.

— Je n'ai pas faim.

Sarah se leva; elle n'était plus que l'ombre d'elle-même.

— Qu'est-ce que tu as à la main?

— Je me suis coupé sur un grillage vandalisé.

— Tu as vu un médecin?

— Je sors d'une clinique. Rien de grave.

— C'est vrai, fit Sarah d'une voix caverneuse, plus rien ne semble grave pour toi, ces derniers temps.

— Je suis fatigué. Je dormirai dans la chambre d'amis.

— Parce que je ne suis plus ton amie, Driss ?

— Je t'en prie, ne vois pas le tort là où il ne figure pas. J'ai besoin d'un bon sommeil, c'est tout.

— Qu'est-ce qui t'empêche de le trouver dans notre lit ?

— Tu as le sommeil agité, Sarah.

— Je prends des somnifères, je te rappelle.

— Ne le prends pas mal. J'ai vraiment besoin de récupérer après le boulot que je me suis tapé aujourd'hui.

— Narimène dit que son mari commence à ne plus supporter tes absences au bureau.

— Moi, c'est le Central en entier qui m'insupporte.

Driss s'assoupit quelques instants après avoir écrasé sa cigarette dans le cendrier. En oubliant d'éteindre la lampe de chevet. Sa respiration rassérénée trahissait un sommeil profond, sans rêves et sans échos. Couché sur le dos, les jambes écartées, le visage assaini des tensions subies durant la journée, on aurait dit qu'il s'était retranché dans un monde où rien ne pouvait l'atteindre. Sa poitrine montait et descendait avec la régularité d'un soufflet automatique. Ses traits décontractés lui rendaient ce charme qui, autrefois, faisait battre le cœur des jeunes filles.

Sarah était venue deux fois dans la chambre d'amis le regarder dormir. Elle était restée debout à son chevet pendant de longues minutes, luttant contre l'envie de lui caresser les cheveux ou de lui poser un baiser furtif sur le front. Il y avait, dans ses yeux à elle, un chagrin qui accentuait sa pâleur et creusait davantage les commissures de ses lèvres. Elle aurait tant aimé qu'il se réveille et qu'il la découvre penchée sur lui telle une étoile veillant sur son berger. Mais Driss ne se réveillerait pas. Restitué à lui-même, il s'était retranché dans un sommeil où les hantises et les soupçons se neutralisaient, et Sarah lui en voulait de se mettre ainsi à l'abri des tourments qui la persécutaient. «Aucun ange ne t'arrive à la cheville lorsque tu dors, mon amour, pensa-t-elle. Pourquoi faut-il qu'à ton réveil tu convoques tes vieux démons alors qu'il te suffit d'un sourire pour les tenir à distance?»

Driss serra les sangles de son holster pour le plaquer contre son flanc, se mit de profil pour voir, dans la glace de l'armoire, quelle dégaine lui conférait son harnachement de flic paré à tous les risques. Son allure de Kevin Costner dans *Les Incorruptibles* ne le flatta guère. Il n'adressa ni sourire ni clin d'œil à son reflet; seul un violent besoin d'en découdre fit palpiter ses pommettes.

Après avoir mis le cran de sûreté, il soupesa son arme de poing et la glissa dans l'étui sous son aisselle.

— Tu pars en opération? s'enquit Sarah, derrière lui.

— Je dois soumettre mon pistolet au contrôle de l'armurier, mentit Driss. C'est le règlement.

Mon arme n'a pas servi depuis des mois. Il se pourrait que certaines pièces aient besoin d'entretien.

Il enfila sa veste pour s'assurer que la bosse sous son bras n'était pas trop apparente.

— Je n'aime pas quand tu portes une arme sur toi, lui dit Sarah.

— C'est une arme de dotation.

— N'empêche..

Driss ajusta sa veste, remua les doigts de sa main bandée.

— Tu es sûr que tu t'es coupé sur un grillage ?

— En doutes-tu ?

— C'est une question.

— Tu connais la réponse.

Il la contourna pour s'en aller.

— Tu ne m'embrasses pas ?

Driss revint sur ses pas et l'embrassa avec une violence telle qu'en se retirant, il vit du sang sur les lèvres de son épouse.

Il quitta précipitamment la chambre.

Sarah demeura pétrifiée sur place. Quand elle entendit claquer la porte d'en bas, elle s'affaissa sur le rebord du lit et se prit la tête à deux mains.

## 22.

Driss se positionna aux alentours de la boutique cadenassée des Amar. Vers midi, il admit qu'il était en train de perdre son temps.

En regagnant sa voiture sur le parking, Driss aperçut le petit rabatteur attablé dans une gargote. Il le laissa finir son repas de misère. Le petit rabatteur mangea vite et sortit flâner dans les ruelles grouillantes de monde. Driss le suivit de loin en veillant à ne pas le perdre dans la cohue. Il le vit rire aux éclats avec une bande de gosses, entrer dans un local saluer un marchand d'épices, demander une cigarette à un vendeur à la sauvette, papoter avec un portefaix. Lorsque enfin il s'éloigna du souk en empruntant une venelle en escalier, Driss se dépêcha de le rattraper.

— Alors, on chôme, petit ?

Le jeune rabatteur ne parut pas surpris de trouver le lieutenant derrière lui.

— Qu'est-ce que tu me veux ?

— Qui a mis la boutique sous scellés ?

— Le patron dit qu'il va procéder à des réaménagements.

— Et tu l'as cru ?

Le rabatteur haussa les épaules.

— Tu sais où crèche ton patron ?

— Tout le monde à Bni Makada sait où habitent les Amar.

Le petit rabatteur était un coriace jeune loup qui semblait avoir fait le tour des vacheries de la vie avant même d'apprendre à tenir sur ses jambes. Il appartenait à ces cohortes de gamins livrés à eux-mêmes qui infestaient les bas quartiers et qui, poivrots à dix ans, la damnation imprimée sur le front, hantaient les portes cochères la nuit et les recoins obscurs le jour, certains de ne récolter de la terre, qu'ils foulaient de leurs pieds abîmés, que ronces et orties jusqu'à ce que mort s'ensuive.

— On peut négocier ?

Le garçon tendit une main péremptoire.

— 200 dirhams pour l'adresse et 300 de plus si tu veux que je t'y conduise.


La maison des Amar s'élevait tel un mastodonte au milieu des bâtisses rabougries qui s'agglutinaient autour d'elle. Badigeonnée de frais, les fenêtres barreaudées et le portail en chêne clouté, elle étalait sans gêne aucune les atours d'une réussite sociale dans un quartier voué à la décomposition programmée tant la misère environnante était criarde.

Driss chercha le carillon, ne trouva qu'un heurtoir en bronze qui résonna à l'intérieur de la demeure comme un gong dans une crypte. Un loquet grinça, puis le portail s'écarta sur une cour intérieure ombragée.

— Oui ? dit une voix de femme cachée derrière le portail.

— Bonjour, madame. Je cherche Ben Amar.

— Il est au chantier.

— Où se trouve le chantier ?

— Je l'ignore.

— Quelqu'un peut-il me renseigner ?

— Il y a Wahab, le frère aîné, dans l'atelier en bas de la rue. Juste en face du vieux café. Vous ne pouvez pas vous tromper. L'atelier est peint en vert.

Driss remercia la femme qui referma aussitôt le portail, sans se montrer. Il dévala la ruelle en regardant derrière lui pour s'assurer qu'il n'était pas suivi.

L'atelier était un garage désaffecté au sol souillé de rinçures noirâtres. Un tas de ferraille occupait une aile, à côté d'une fosse dégoulinante de cambouis. Une odeur d'huile usée et de carburant polluait l'intérieur.

Wahab jouait aux dominos avec ses deux autres frères et un escogriffe aux dents cariées. En voyant arriver le lieutenant, il se recula sur sa chaise, la bouche retroussée sur un rictus.

— Qu'est-ce que tu nous veux à la fin ?

Les trois autres hommes continuèrent de faire tinter leurs pions en ignorant copieusement l'intrus.

— La même chose, répondit Driss.

L'aîné lâcha un soupir qui fit trembler sa grosse bedaine.

— Laisse tomber, lieutenant. Tu n'es pas de taille, je t'assure. On est réglo et on ne cherche pas d'embrouilles. Rentre gentiment chez toi et mets une croix sur la famille Amar. Si tes potes ne t'ont pas donné ta part, tu vois avec ton patron. Parce que tu n'auras pas un rond avec nous.

— Je ne viens pas réclamer ma part, mais chercher la tête de Ben.

L'aîné se tourna vers sa fratrie.

— Jetez-moi cet enfoiré dehors.

— Attention, lui rappela Driss, l'enfoiré est un gradé de la police.

— On t'emmerde, lui hurla le plus jeune des frères. On a le bras plus long que ta langue de mégère.

Aussitôt, les chaises crissèrent sur le parterre ; les deux frères et l'escogriffe étaient debout, les poings serrés, prêts à passer à l'abordage.

— Si tu veux un conseil, dit l'aîné, taille-toi. Sinon, tu seras obligé de rentrer chez toi en rasant les murs.

— Il faudrait m'envoyer d'autres gros bras. Ceux que vous avez chargés de me saigner à blanc, hier soir, n'étaient pas trop professionnels.

— C'était pas nous. Autrement, tu ne serais pas là à nous les casser.

L'escogriffe se mit à ricaner à la manière d'une hyène qui surprend une proie prise au piège.

— Tu veux que je lui arrange sa face de fille, patron ?

Driss ne lui laissa pas le temps d'en rajouter. Il l'accueillit d'un foudroyant crochet sur le menton. L'escogriffe tomba à la renverse et resta au sol, les yeux révulsés et les bras en croix. Surpris par le service rapide de l'officier, les deux jeunes frères mirent quelques secondes avant de recouvrer leurs sens. Ils se jetèrent sur l'officier. Driss leur distribua une gauche-droite dans la foulée, coupant le souffle au premier et obligeant le second à mettre un genou à terre.

— Couchés ! les somma Driss en les menaçant avec son arme.

L'aîné croisa les bras sur sa poitrine et dévisagea l'officier.

— Nous avons appelé nos amis du cadastre. Ils disent que tu n'es pas dans le coup. Que c'est même pas de ton domaine. Alors, comment espères-tu nous doubler, lieutenant ? Tu relèves de la Criminelle, or notre affaire concerne le foncier. J'ignore comment tu as eu vent de la transaction, mais tu arrives trop tard. Les contrats sont signés et notariés. Si tu persistes à nous harceler, nos avocats ne te laisseront pas un bout de peau sur les os.

— Vos petites magouilles, je m'en bats les burnes. Ben a des comptes à me rendre. C'est personnel, strictement entre lui et moi.

L'aîné fit signe à ses frères de se calmer. Il parut méditer les propos du lieutenant, un peu éberlué. Lorsqu'il rétablit un semblant d'ordre dans son esprit, il se casa sur sa chaise et s'enquit :

— Ça n'a rien à voir avec le litige foncier, ton histoire ?

— C'est personnel, je te dis.

— Tu es sûr que c'est pas ce salaud de Brahim Ayoubi qui t'a monté contre nous ?

— Je ne connais pas de Brahim Ayoubi.

— Et c'est quoi le problème de Ben ?

— Viol.

Les trois frères échangèrent des œillades circonspectes. Ils avaient l'air de tomber des nues.

— Viol ? fit l'aîné.

— Tu as bien entendu.

— Qu'est-ce qui me prouve que tu dis vrai ?

— Rien.

— Tu cherches pas à nous embobiner ?

— Vous l'êtes suffisamment comme ça.

L'aîné écarta les bras comme pour recevoir la manne céleste. Il était soulagé, et ses deux autres frères aussi.

— S'il est seulement question de viol, autant tirer cette affaire au clair tout de suite. Ben n'est pas du tout un homme à femmes.

Wahab sortit son portable et forma un numéro d'une main curieusement enjouée.

— *Salam*, frérot. Il faut que tu rappliques illico à l'atelier... Je sais, je sais... T'as qu'à laisser Jafer au chantier. On a besoin de toi, ici. Le flic d'hier est avec moi. Non, non, c'est un malentendu. Rien à voir avec le terrain. OK, je lui demande. (Il posa la main sur le portable.) Ben dit qu'il est en train de faire couler la première dalle et qu'il ne peut pas laisser le chantier sans personne pour surveiller l'opération. Ça te dérangerait si on allait le trouver sur place ?

— Si ce n'est pas un traquenard, pourquoi pas ?

— C'est pas un traquenard, je le jure.

— Dans ce cas, on partira rien que toi et moi.

— J'suis d'accord. Mon 4×4 est juste à côté, si tu n'as pas de voiture.

Dès qu'il le vit au milieu du chantier, au pied d'une bétonnière en train de dégueuler sur la dalle, Driss comprit que le prénommé Ben n'était pas la bonne personne. Ce dernier n'avait rien d'un tombeur. Il était petit, maigre et... bossu. Son visage portait la trace d'une méchante chute, qui remontait probablement à l'enfance, car le menton était légèrement dévié vers l'extérieur, ce qui donnait à la mâchoire inférieure un relief dérangeant.

— Je veux lui parler seul à seul, dit Driss au frère aîné.

— Vas-y mollo avec lui. C'est un bon gars, et il n'a pas l'habitude d'être bousculé.

Driss descendit du 4×4 et marcha vers le petit homme déglingué qui se mit à essuyer ses mains moites sur le devant de son jean.

— Je suis le lieutenant Ikker…

— Mon frère m'a assuré que vous n'allez pas m'embêter. Je suis quelqu'un de correct avec les gens et avec l'État.

— C'est pour ça que tu jouais à l'homme invisible?

— J'ai toujours eu peur de la police. Quand je vois un agent sur le trottoir, je rebrousse chemin. D'instinct. C'est peut-être dans mes gènes, mais c'est comme ça.

— Ton casier judiciaire n'est pas de cet avis. On peut aller discuter à l'ombre de l'arbre, là-bas? J'ai un peu de migraine.

Driss fit exprès d'éloigner Ben des hommes qui s'activaient autour de la bétonnière.

Ben le suivit jusqu'au pied de l'arbre, docile, en jetant de temps en temps un regard effarouché à son frère resté dans le 4×4.

— Tu reconnais ce bijou? le brusqua Driss.

Ben prit le bouton de manchette que lui présentait le lieutenant, le tourna dans sa main.

— C'est grave, monsieur?

— Quoi?

— L'histoire de ce bijou?

— Ça dépend.

— J'ai seulement voulu dépanner un ami. Il avait besoin d'argent pour rembourser ses créanciers.

Qu'est-ce que j'en ai à foutre, moi, des boutons de manchette. La seule fois où j'ai porté un costume, c'était à mon mariage. Les bijoux, c'est pas mon genre. Mais mon copain avait le couteau sous la gorge. Il avait perdu gros au poker et le gagnant réclamait son pactole rubis sur l'ongle. J'ai cédé. Tu ferais quoi si ton meilleur ami était en difficulté ? Mais avant d'acheter les boutons de manchette, je lui ai fait jurer qu'ils n'étaient pas volés.

— Bien sûr…

— Tu penses que les bijoux ont été volés, monsieur ? Si c'est le cas, je n'étais pas au courant. J'ai eu assez de soucis avec la justice. Maintenant, je me suis assagi. Je n'ai plus l'âge de faire le con.

— Quand on est con, c'est pour la vie. Mais bon, trancha Driss, maintenant que l'on sait comment ce bijou est arrivé jusqu'à toi, peut-on savoir comment et où tu l'as perdu ?

— Je les ai donnés à mon frère Wahab.

— Celui qui est dans le 4×4 ?

— Oui. Il est l'aîné. C'est lui qui a négocié avec les gens du foncier.

— Quel rapport avec les gens du foncier ?

— Wahab ne t'a rien dit ? On avait un litige avec un escroc à propos du terrain où nous nous trouvons. Cette parcelle a toujours appartenu à notre famille. L'escroc a voulu s'associer avec nous pour construire des appartements à vendre. On a commencé à bosser ensemble. Puis, on ignore comment, mais il s'est débrouillé pour trafiquer des documents et se faire passer pour le propriétaire. Un de

mes frères est en prison pour lui avoir fendu le
crâne avec une pioche. Il nous a fallu graisser la
patte à un tas de vautours afin de récupérer notre
terrain. Le temps d'en finir avec une procédure,
une autre s'enclenchait. On casquait à chaque
étage, du portier au chef de service, du secrétaire
au directeur général. Alors Wahab a vu avec une
vieille connaissance de notre père qui nous a
conseillé de solliciter un homme très influent qui
était comme cul et chemise avec le gouverneur.
C'est grâce à lui que nous avons réussi à rétablir la
situation. Sauf que notre bienfaiteur était aussi
gourmand que les gens du foncier. Comme il ne
nous restait pas suffisamment de liquide, mon frère
lui a proposé, en plus de nos derniers sous, les boutons de manchette. Le fumier les a d'abord
expertisés chez un bijoutier avant de les accepter.
Paraît qu'ils valent des milliers d'euros. Mais c'est
pas grave. Toute paix mérite son prix.

— Il a un nom, votre bon samaritain ?
— C'est Wahab qui a traité avec lui.
Driss fit signe au frère aîné de les rejoindre.
— Alors ? dit Wahab. Est-ce qu'il a l'air d'un
violeur, mon frangin ?
Driss lui montra le bijou.
— Sans la paire au complet, je ne pourrai pas
mettre ma chemise en soie assortie à l'émeraude.
— Je suppose que tu cherches l'autre bouton.
— On ne peut rien te cacher.
— Et après, on ne risque pas de te voir rôder
par ici ?

— Parole de scout.

Wahab esquissa une kyrielle de grimaces clownesques – histoire de se remettre les idées en place.

Il avertit :

— Attention, il s'agit d'une grosse pointure. Il t'écrabouillerait comme une blatte s'il te marchait dessus.

— Je ne suis pas une blatte. Vas-y, accouche si tu tiens à ce que je disparaisse vite et pour toujours de ta vue.

— Il s'appelle Rachgoune, Slimane Rachgoune... Il paraît qu'il est le chef de cabinet du gouverneur.

Driss n'écoutait plus, n'entendait plus rien. Ce fut comme s'il était devenu sourd d'un coup. Il dut s'appuyer contre le tronc d'arbre pour ne pas s'effondrer.

La mer était aussi plate qu'un court de tennis. Dans les lumières rasantes du couchant, on pouvait voir la rive d'en face que l'Espagne dressait en mirador pour surveiller l'Afrique et ses incessantes déferlantes de migrants hallucinés. Driss ne distinguait ni le jour en train de se débiner sur la pointe des pieds ni la nuit qui s'amenait dangereusement, pareille à une ogresse au ventre plus grand que l'océan. Il avait fumé toutes ses cigarettes ; le cendrier débordait de mégots consumés jusqu'au filtre. Sa tête résonnait d'un chahut psychédélique ; des voix fusaient de tous les côtés, les unes tumultueuses, les autres claires comme l'éclat d'un cimeterre – toutes le conspuaient en le sommant d'aller laver son honneur dans le sang.

Il se souvint d'un musicien ambulant qui venait, le jour du marché, se produire dans le souk de son village natal, là-haut sur le djebel Tidirhine où les chèvres paissaient libres, bercées par le son des clochettes accrochées à leur cou.

Le musicien disait :

> *Pour toi, j'ai laissé tomber*
> *L'amour de ma vie*
> *Et je t'ai préférée*
> *À mes chers enfants*
> *Pour toi, j'ai renoncé*
> *Aux romances des nuits*
> *Et j'ai renié les joies*
> *Simples de la vie*

Il y avait une dense ribambelle de mioches autour du troubadour, mais ce fut vers Driss qu'il s'était tourné :

— De quoi je parle, petit ?

— De la patrie, avait répondu Driss sans hésiter.

— Non, mon garçon, lui avait dit le musicien, je parle de l'ambition.

La nuit tomba à l'instant où Driss émergea de son abîme. Le ciel scintillait de millions de constellations ; au loin, les lumières du port et de la ville singeaient les étoiles. Une petite brise caressa le vallonnement de la plage avant d'aller se ramifier à travers l'échancrure des rochers. Un chien aboya dans le silence, l'écho de ses jappements ricocha au large et s'éteignit dans l'obscurité.

Driss sortit son téléphone et appela Slimane Rachgoune.

— J'ai besoin de ton avis, lui dit-il d'une voix monocorde.

— À propos de quoi ?

— D'une transaction.

— Passe me voir demain à mon bureau.

— Ça ne peut pas attendre demain.

Il y eut un silence au bout du fil.

— Ça ne se discute pas dans un bureau, non plus, insista Driss.

— De quoi s'agit-il ?

— D'une affaire qui ne se refuse pas.

Un long silence s'ensuivit, puis :

— D'accord, dit Slimane. On se voit où ?

— Chez toi.

— J'ai mon neveu chez moi.

— Envoie-le voir un film.

Il y eut de nouveau un silence.

— OK, je t'attends.

Driss brûla tous les feux rouges sur sa route.

Moins d'une heure plus tard, il se rangea devant la splendide villa du secrétaire particulier du commissariat central. Ce dernier prenait ses aises sur la véranda. Il descendit ouvrir la grille au lieutenant et l'invita à l'intérieur de la maison.

— Heureux que tu sois revenu sur terre, mon cher Driss. Le commissaire et moi nous faisions du souci pour toi. On te voit de moins en moins au Central et on se demandait quand tu allais te ressaisir.

— J'étais sur une bonne affaire. Le genre d'affaire qui ne se présente qu'une fois dans la vie et qui change le cours de votre destin.

— À la bonne heure, mon ami. J'ai préparé du champagne à sabler.

## 23.

Driss s'installa dans un fauteuil, croisa les genoux et fixa longuement Slimane qui, drapé dans sa robe moirée, évoquait un vizir des *Mille et Une Nuits* sur son tapis volant. Il admit que le secrétaire vivait largement au-dessus de ses moyens et que, n'en déplaise aux saints et aux prophètes, le bien mal acquis lui seyait comme un gant.

Après avoir contemplé le faste blasphématoire du salon, Driss reporta son regard sur son hôte et ne vit, en lui, que ce que le meurtre, la barbarie, le sacrilège et la folie pouvaient suggérer dans les pires moments à un homme outragé. Mais il s'était juré de ne pas sortir son pistolet. Les cinq heures d'affilée passées sur la plage l'avaient assagi, pas suffisamment pour pardonner, mais largement pour qu'il sache que l'époque des crimes d'honneur était révolue, et que la prison n'était pas un endroit propice aux résiliences.

Il commença :

— Mon père m'a confié un jour ceci : « Tu veux connaître un tas de choses sur les gens ? Fais-leur croire que tu es un con, et alors aucune de leurs vérités ne t'échappera. »

— C'est pas faux, approuva Slimane sans deviner où Driss voulait en venir.

Le lieutenant serra les lèvres en hochant la tête d'un air pensif.

Il ajouta, sur le même ton énigmatique :

— J'aime Sarah, tu sais ?

Slimane défronça les sourcils. Un sourire de circonstance flotta sur ses lèvres qu'il se dépêcha de cacher en portant un verre à sa bouche, tant il trouvait l'entrée en matière de Driss saugrenue.

— C'est normal, elle est ta femme, dit-il pour la forme.

— Je l'aime vraiment.

— Tant mieux pour ton couple.

— Je l'aime de tout mon cœur.

— J'ai compris.

Le sourire de Slimane s'évanouit derrière une moue circonspecte. Quelque chose dans le regard du lieutenant ne s'accordait pas avec sa déclaration d'amour.

Driss se servit deux doigts de scotch, les avala dans une grimace, clapa des lèvres et manqua de briser le verre en le reposant sur la table.

— C'est vrai qu'à l'école de police de Kénitra, elle passait pour une allumeuse parce qu'il lui arrivait de porter des collants. Les mauvaises langues allaient jusqu'à laisser entendre qu'elle se tapait les majors de promo. Mais ce n'étaient que des ragots. Sarah avait trop de classe pour flirter avec les moutons que son père faisait marcher à la trique.

— Je ne vois pas le rapport avec notre «petite affaire», lui fit remarquer Slimane en dessinant des guillemets avec ses doigts.

— Disons que je n'ai pas suffisamment de courage pour aller droit au but. Je tourne autour du pot pour gagner du temps. C'est très dur de déballer d'emblée ce que l'on a sur le cœur. Il faut y aller doucement, étape par étape, pour ne pas perdre le fil et le sang-froid censé l'accompagner.

Slimane renversa la tête dans un rire guttural qui se prolongea par une quinte de toux.

— C'est quoi, ce délire?

— C'est le mien, Slimane, rien que le mien. Tu ne peux pas imaginer ce qui me trotte dans la tête depuis quelques heures. C'est comme si on balançait un singe dans une piscine remplie de piranhas.

— Je ne vois toujours pas où tu veux en venir.

— J'y arrive…

Driss se versa un deuxième verre de scotch et l'ingurgita cul sec.

— Je te mentirais si je te disais que j'ai épousé Sarah par amour. À l'époque, je n'en menais pas large et mon stage à l'école de police battait de l'aile. Aussi, lorsque j'ai rencontré Sarah, c'était comme si la chance me tendait la perche. J'ai sauté les yeux fermés sur l'occasion. Avec un nabab comme M. Chorafa en guise de parrain, ma carrière de flic était toute tracée. Je n'ai pas honte de l'avouer. C'est ainsi que ça marche au royaume des nigauds. Qui n'a pas de parrain est un bâtard. Il n'ira jamais plus loin qu'un cul-de-jatte… Mais, vois-tu, avec le temps, les choses se sont améliorées et j'ai appris à aimer d'amour ma femme. Elle est devenue *tout* pour moi. Elle a son petit caractère, mais ça ne m'a pas dérangé outre mesure. Notre couple marchait au quart de tour, tu comprends ?

— Tu es sûr de ne pas avoir fumé la moquette, lieutenant ?

— C'est seulement le volcan en train de sourdre en moi qui te le fait croire.

— Oh là ! Il y a fausse donne, mon gars. Tu m'appelles pour me proposer une affaire, je te reçois chez moi, et qu'est-ce que tu me sors ? Ton histoire de couple. Qu'est-ce que j'en ai à cirer de tes soucis de famille, moi ?

Driss porta de nouveau la main sur la bouteille de scotch ; Slimane l'attrapa par le poignet et le repoussa.

— Tu ne vas pas te soûler à mes frais, bonhomme. Si tu n'as trouvé personne à bassiner avec tes jérémiades, je ne suis pas disposé à te servir d'exutoire de substitution.

Driss acquiesça. La flamme dans son regard eut un drôle d'éclat.

Il fixa longuement la bouteille d'alcool avant de poursuivre :

— Tu sais pourquoi j'ai passé sept jours et sept nuits dans un hôtel de passe minable, à boire comme un trou et à baiser avec une pute qui puait de la gueule ?

— Je ne veux pas le savoir.

— Je vais quand même te le dire. C'est parce que je refusais d'admettre l'évidence… Je suis resté combien de temps à regarder ma femme nue et menottée sur son lit, cette maudite nuit-là ? Cinq, dix secondes ? Eh bien, ça a suffi pour que je comprenne qu'il ne s'agissait pas d'un viol, mais d'une partie de jambes en l'air entre adultes consentants.

Slimane se pétrifia d'un coup.

— Je t'en bouche un coin, pas vrai ? Ce n'est pas que j'ai le coup d'œil imparable. Ça crevait les yeux, c'est tout. N'importe qui aurait compris. Menottes, bâillon, bandeau, l'arsenal traditionnel, quoi ! Il manquait juste la cravache. Mais je suppose que le bourreau sexuel ne tenait pas à laisser de traces sur le corps en offrande. Ça aurait mis la puce à l'oreille du mari cocufié.

— Et c'est à moi que tu viens te confier, lieutenant ? À ma connaissance, il y a un officier chargé de l'enquête. Si tu as un suspect, c'est à Alal qu'il faut t'adresser.

Driss ne l'écoutait pas. Il était pris dans l'engrenage de ses peines, n'entendait que le sang battre à ses tempes, ne reconnut même pas sa voix lorsqu'il ajouta :

— Mille électrochocs ne m'auraient pas ébranlé de la sorte. C'était la pire chose qu'il m'ait été donné de voir : l'amour de ma vie s'offrant à quelqu'un d'autre que moi. Tout s'est embrouillé dans ma tête. En vérité, mon esprit refusait d'admettre ce qu'il venait de comprendre. J'étais dans le déni total. Je me demande si c'était le chagrin ou bien le coup reçu sur la nuque qui m'avait assommé le plus. Je ne suis pas sûr d'avoir recouvré mes sens à ce jour. J'étais quelque part au fond du trou, vaguement conscient d'être reclus dans un hôtel minable, à me soûler et à me shooter au cannabis en tenant en otage une misérable pute. J'aurais aimé disparaître à jamais de la surface de la terre, mais il a fallu que je me réveille dans cette clinique privée pour renaître à la honte. Je me sentais si sale, si mal. C'était terrible. J'avais un tel mépris pour moi. Il n'y a pas pire désastre que d'avoir du mépris pour soi-même, Slimane. Tu ne peux pas imaginer. Mes chairs empestaient le foutre et le cul. Chaque fois que l'image de ma femme nue et menottée me rattrapait, je gerbais comme dix volcans sans que je parvienne à évacuer une seule lave de l'enfer qui brûlait en moi.

Slimane n'en pouvait plus. Il se leva et montra la porte.

— Rentre chez toi, Ikker. Tout ça est touchant, mais je ne suis pas un psy.

— C'était son fantasme ou bien le tien ?

— Pardon ?

— Le déguisement sado-maso ? C'était ton idée ou bien la sienne ?

Slimane recula d'un pas, abasourdi.

— Tu crois que c'est moi, le violeur ?

— Pas le violeur, l'amant.

Une colère fulgurante souleva Slimane sur la pointe des pieds. Son visage congestionné se froissa tandis que ses pommettes se mirent à tressauter de spasmes effrénés.

— Dégage, lieutenant. Sors de chez moi. Tu es complètement givré.

— Il y a de quoi, tu ne crois pas ?

— Ça suffit ! Tu as assez déconné pour ce soir. Je n'ai jamais approché ta femme et je ne me souviens pas de lui avoir adressé la parole une seule fois.

Driss étala sur la table le relevé de son téléphone fixe.

— Huit appels sortants, trente-six entrants. Tous en liaison avec le commissariat central. Or, je n'utilise jamais mon téléphone domestique. Mon épouse et moi, nous communiquons avec le portable. Avec qui s'entretenait-elle au Central ? Comme par hasard, l'ensemble des appels suspects s'est opéré à des dates où j'étais en mission extra-muros.

— Tu lui poses la question.

— J'étais en colère en apprenant que Mme Layla Jellad avait dévoilé l'objet de mon enquête à un officier du commissariat central. Finalement, ça m'a servi. Son appel a levé le gibier. Maintenant, je sais que c'est toi qui es derrière la voiture qui a tenté de me renverser, et derrière les voyous qui ont cherché à me faire la peau.

— On est en pleine divagation, ma parole. Celui qui t'a remonté contre moi t'a menti. Je n'ai rien à voir avec le viol de ta femme ni avec tes élucubrations. Tes stupides allégations pourraient se retourner contre toi. Pour ta gouverne, les femmes n'ont jamais été mon truc. Est-ce que je suis marié ? Ai-je une fiancée ? M'as-tu vu avec une fille au bras ?

— On n'a pas besoin de se donner en spectacle lorsqu'on se tape l'épouse d'un collègue.

— Tu dérailles, mon vieux. La nuit du 8 au 9 avril, j'étais à Tétouan, chez ma mère.

— Dans ce cas, que faisait *ça* chez moi, dans *ma* chambre à coucher ! hurla Driss en brandissant le bouton de manchette sous le nez du secrétaire.

Slimane pâlit en reconnaissant le bijou. Sa pomme d'Adam accusa deux rebonds avant de se coincer contre son menton. Pendant quelques secondes, il perdit l'usage de la parole et faillit tomber à la renverse.

Il recouvra rapidement ses sens ; le doigt tendu vers le lieutenant, il glapit :

— Ce truc n'est pas à moi.

— Tu veux que je te légende sa traçabilité pour remonter jusqu'à toi ? Je commence depuis le chanteur Zahi ou bien je passe directement aux frères Amar, monsieur le « chef de cabinet du gouverneur » ? Tu ne te refuses rien, dis donc.

Slimane se mit à déglutir pour dégager sa pomme d'Adam. Il tenait à peine sur ses jambes ; son visage rappelait une serpillière essorée.

— Tu fais fausse route, Ikker.

— Disons que le virage est trop serré et qu'il va falloir le négocier avec un maximum d'adresse…

Son poing envoya Slimane par-dessus le dossier du canapé.

Pris d'une frénésie sauvage, Driss enjamba le fauteuil et se mit à donner des coups de pied dans les flancs du secrétaire.

— Je n'ai jamais mis les pieds dans ta maison, Ikker.

Driss n'entendait plus rien, hormis l'ouragan qui venait de se déclencher en lui. Il frappait pour faire mal, pour dévaster le monde entier. Il cognait, shootait, crachait sur Slimane qui ne savait comment se protéger des foudres qui s'abattaient sur lui de tous les côtés. Un coup dans le ventre lui coupa le souffle, un autre derrière la nuque lui brouilla la vue, le sang de sa bouche éclatée l'étouffait. Il chercha un abri, un point d'appui pour se relever ; Driss ne lui concédait pas le moindre espace de manœuvre. Il le piétinait avec une rage grandissante, lui écrasait la tête avec ses talons, s'acharnait sur lui dans l'intention manifeste de le réduire en bouillie.

Laminé, ensanglanté, Slimane n'avait plus la force de se protéger ou de ramper vers un abri. Il n'était plus qu'un tas de chair meurtrie dont un souffle en perdition cadençait le pouls. Le visage tuméfié, les mâchoires ébranlées, les bras et les jambes ankylosés, il subissait l'averse des coups avec le stoïcisme des bêtes mourantes.

Driss ne s'arrêta de cogner que lorsqu'une douleur explosive lui engourdit le poignet. Ensuite, telle une tornade, il se rua sur le mobilier du salon, n'épargnant ni les livres, ni les étagères, ni les tableaux qu'il jeta au sol, ni les fauteuils qu'il renversa les uns sur les autres, ni le grand miroir qu'il brisa avec une statuette, ni les rideaux de brocart qu'il arracha avec leurs tringles, ni les murs contre lesquels il fracassa toutes les bouteilles d'alcool qu'il trouva.

Quand Slimane revint à lui, il crut d'abord qu'il gisait dans un capharnaüm tant il ne reconnut pas son salon. Il regarda ses mains bleutées, les porta à son visage brûlant de contusions, chercha à se relever ; le moindre mouvement lui tisonnait les chairs. Il rassembla les quelques résidus de force qui lui restaient pour ramper jusqu'à son téléphone qui traînait à quelques mètres par terre, le cadran fissuré. Son doigt meurtri se trompa plusieurs fois sur les touches du clavier avant de former correctement un numéro. La sonnerie retentit au bout du fil, mais personne ne décrocha. Slimane essaya une deuxième fois, puis une troisième en grommelant «Je t'en supplie, décroche, décroche». Au moment où il s'apprêtait à retomber dans les pommes, la voix du commissaire Rachid Baaz le dégrisa :

— Qu'est-ce que tu veux, bon sang ? Je suis en réunion.

— Il est devenu fou.

— Qui ?

— Ikker… Il a tout dévasté chez moi. Il pense que c'est moi l'amant de sa femme, que ce n'était pas un viol.

— Comment ça ?

— Il a trouvé le bouton de manchette… Il est devenu complètement fou. Il m'a laissé pour mort.

— Il est où ?

— Il est parti… Une ambulance, vite. Je suis en train de me vider de tout mon sang…

## 24.

Driss rentra chez lui.

Sans un regard pour sa femme qui l'attendait dans le vestibule.

Il se défit de sa veste et de sa chemise en gravissant l'escalier, se débarrassa de ses chaussures sur le palier, posa son holster avec son arme de poing sur la commode à l'entrée de la chambre, arracha son pantalon et son caleçon et les catapulta à travers la pièce. Ensuite, il s'engouffra dans la salle de bains et ferma la porte derrière lui. Son reflet dans la glace ne portait pas de traces de violence, hormis un coup sous l'oreille qui n'avait pas l'air méchant. Quant aux jointures de ses doigts, elles étaient fortement abîmées et ensanglantées.

Arc-bouté contre le mur, Driss laissa l'eau brûlante lui fouetter le corps. Il était d'un calme intrigant. Sa respiration s'était normalisée, le sang ne battait plus à ses tempes, son cœur semblait au repos.

En sortant de la douche, il trouva Sarah debout au milieu de la chambre. Elle était en larmes; des filaments de rimmel lui zébraient les joues.

Driss la contourna pour aller ouvrir l'armoire. Il jeta le premier costume qui s'offrit à lui sur le lit, décrocha une chemise de son cintre…

— C'est à moi de m'en aller, lui dit Sarah.

Driss émit un hoquet méprisant.

Elle le regarda enfiler un caleçon.

— Rachid m'a téléphoné. Il a dit que tu as sauvagement agressé un collègue à toi. Il m'a surtout conseillé de faire mes valises. Il pense que tu as l'intention de me faire du mal.

— Tu es déjà morte, pour moi.

— Je m'en doutais… J'ai préparé ma valise, mais je t'ai attendu.

— Dommage. Tu m'aurais épargné une épreuve supplémentaire.

— Tu ne veux pas qu'on en parle?

Driss jeta par terre son peignoir comme on jette l'éponge.

— On n'a plus rien à se dire, Sarah. Tu n'es plus qu'une illusion d'optique…

— Une illusion d'optique?

— Tu t'attendais à quoi? Que je m'acharne sur toi? Ça m'avancerait à quoi? L'un de nous deux a tout perdu au change, et je ne pense pas que ça soit moi. Tu peux t'en aller, tu peux rester, je n'en ai rien à foutre. Quant à moi, où que j'aille cette nuit, le jour finira par se lever.

— Je suis soulagée que tu le prennes ainsi.

Driss enfila un pantalon, s'assit sur le rebord du lit pour mettre des chaussettes.

Sarah passa une main furtive sur sa joue. Le calme de son mari la torturait plus que le chagrin en train de la ronger.

— Je suis navrée, Driss.

— Quand ça a commencé ?

— Je t'en prie.

— Vas-y, ne m'épargne aucun détail. Il n'y a pas mieux qu'un traitement de choc pour s'éveiller à soi-même.

Après un silence interminable, elle avoua d'une voix détimbrée :

— Le lendemain de la soirée chez le gouverneur, il m'a appelée pour me dire combien il avait été ravi de me revoir.

— Vous vous connaissiez avant ?

— Comme si tu l'ignorais.

— Bien sûr que je l'ignorais. Tu ne m'avais jamais parlé de Slimane Rachgoune.

— Je ne connais aucun Slimane Rachgoune.

Driss ramassa le pantalon qu'il portait en rentrant, en fouilla les poches à la recherche du bouton de manchette qu'il jeta aux pieds de sa femme.

— Tu ne connais pas Slimane Rachgoune ? Que faisait donc son bouton de manchette dans notre chambre ?

Sarah fixa le bijou. Elle devint soudain lointaine, presque absente.

— Je suppose que c'est ce que ta mère était venue chercher ici pendant que nous étions à Marrakech ?

— Je ne connais pas cette personne. (Une lueur glaçante étincela dans ses yeux lorsqu'elle ajouta, pleinement consciente du séisme qu'elle allait provoquer…) Je te parle de Rachid.

Driss crut que le plafond de la chambre s'affaissait sur lui. En une fraction de seconde, il perdit l'ensemble de ses appuis.

— J'ignore quelle diablerie tu es en train d'échafauder dans ta petite tête de manipulatrice patentée, sauf que tu perds ton temps avec moi. Le commissaire Baaz ne peut pas souiller la fille de son propre saint patron. Il lui doit toute sa carrière.

— Tu vois ? lui dit-elle dans un soupir. Tout le monde peut se tromper.

Driss demeura prostré une longue minute avant d'essayer de se ressaisir. Il fallait qu'il se ressaisisse. Il s'était promis, après s'être défoulé sur Slimane Rachgoune, de ne pas flancher ni de s'emporter devant sa femme. Il était resté plus d'une heure dans sa voiture en bas de la rue à se mordre le poing, à discipliner son souffle et à s'imaginer rentrer à la maison, traverser le vestibule, monter au premier, se déshabiller, prendre une douche, se rhabiller et sortir de la vie de sa femme sans la regarder et sans lui adresser la parole. C'était la seule attitude qu'il avait trouvée pour prouver à Sarah qu'elle l'avait sans doute trahi sans pour autant le détruire.

Il aspira à pleins poumons pour se retenir – ce furent toutes les flammes de l'enfer qu'il inhala.

— Je ne sais pas pourquoi c'est arrivé, dit Sarah.

— Je ne veux pas le savoir.

— Je te dois la vérité, Driss… Une semaine après que le commissaire nous avait invités, toi et moi, chez lui pour nous présenter sa petite famille, sa femme Narimène m'a conviée à une petite collation qu'elle offrait à ses amies intimes les jeudis après-midi. J'ai accepté de me joindre à son petit cercle privé. Le jeudi d'après, il n'y avait personne d'autre que moi. Sabrina m'a expliqué qu'elle avait dû tout annuler parce que son mari venait d'acquérir un voilier et qu'elle serait très heureuse si j'acceptais de le découvrir en même temps qu'elle. Nous avons décidé de prendre le thé sur le bateau où son mari nous attendait. Après, Rachid a continué de m'appeler de temps en temps pour me demander comment j'allais, si j'avais besoin de quelque chose.

— Et tu avais besoin de quelque chose ?

— Ça m'est arrivé une fois. J'avais besoin de savoir quel cadeau d'anniversaire ferait plaisir à sa femme, et il m'a envoyé deux coffrets de parfum Guerlain, l'un pour moi et l'autre pour que je l'offre à son épouse. Puis, quand tu es parti en mission de trois jours à Rabat, il m'a téléphoné le premier soir pour me dire que si je me sentais seule, il m'enverrait sa fille aînée pour me tenir compagnie. Bien sûr, je l'avais remercié en l'assurant que j'avais l'habitude que mon mari s'absente. Le lendemain, il m'a appelée pour m'annoncer que son épouse et lui se préparaient à aller faire un tour en mer et qu'ils seraient enchantés que je me joigne à eux. Je n'avais rien de spécial à faire de toute la journée. J'ai accepté… Narimène n'était pas sur le bateau, ce jour-là. Elle a eu un empêchement de dernière minute. J'étais un peu gênée, mais je n'ai pas osé décevoir son mari… Il faisait beau. Nous avons navigué des heures durant le long de la côte. J'étais un peu crispée d'être seule avec lui sur le bateau. Il l'a remarqué. Pour me déstresser, il m'a invitée à prendre la barre. Je lui ai dit que je ne savais pas piloter. Il m'a dit que c'était facile et qu'il allait me montrer comment faire. Pendant que je tenais le volant, il s'est glissé derrière moi et a posé ses mains sur les miennes. J'ai voulu me défaire de son emprise, mais aucun de mes muscles ne répondait. J'étais tétanisée.

— Ne me fais pas croire qu'il t'a violée.

— Ce n'était pas un viol.

Malgré le masque impénétrable qu'il s'évertuait à arborer, Driss ne put contenir le spasme qui lui ébranla le visage, trahissant ainsi la déflagration qui venait de tonner en lui pour la deuxième fois en l'espace de quelques minutes.

Il y eut un silence atroce.

— Tu m'as trompé combien de fois avec lui ?

— Quelle importance ? La première fois suffit.

— Combien de fois ? hurla Driss, suffoquant de jalousie.

— Il m'a appelée après, dit Sarah comme si elle parlait à elle-même. Il voulait que l'on continue de se revoir. Je lui ai dit que ce qui s'était passé entre nous était un accident et lui ai demandé de m'oublier. Il a dit que je mentais, que je n'avais pas à m'en faire, que personne ne saurait. Il me téléphonait tout le temps. Il était comme fou. Je n'en pouvais plus de le subir. Je l'avais appelé plusieurs fois dans son bureau pour qu'il arrête de me harceler. Rien à faire. Il me suppliait de lui revenir. Quand il a compris que je t'avais trompé par mégarde et que je le vivais très mal, il m'a fait une proposition. Il a dit qu'il voulait m'aimer une dernière fois. J'ai refusé. Ça l'a rendu plus fou encore. Il est allé jusqu'à venir à maintes reprises garer sa voiture devant chez nous. Au vu et au su des voisins. Il me menaçait. J'avais peur qu'il te fasse du mal ou que tu finisses par tout savoir. Il m'a promis que ce serait la dernière fois. J'ai fini par céder. Pour qu'il nous fiche la paix. On devait faire ça sur le bateau, à l'abri des regards, mais il a changé d'avis. Il a préféré qu'on le fasse ici, dans cette chambre. Que c'était plus discret. Il fallait le voir, cette nuit-là. Ce n'était plus un être humain. J'étais morte de trouille. Il a cherché à m'humilier, à me traumatiser à vie en me soumettant à ses fantasmes de sadique. Ma chair en brûle encore. Si tu n'étais pas rentré…

— Ça suffit ! Tu me dégoûtes.

— Je m'en veux comme ce n'est pas possible. C'était un accident, un terrible et malheureux accident qui a fait de moi l'otage d'un moment d'égarement. Ce n'est que maintenant que je me rends compte qu'on peut toujours interpréter les choses comme bon nous semble, elles ne seront jamais que ce qu'elles sont. Je suis profondément désolée, Driss. Tu ne peux pas savoir combien je regrette. Un moment de faiblesse ne doit pas tout détruire autour de nous. Nous valons mieux qu'une erreur, aussi blâmable soit-elle. Nous méritons de lui survivre. Je t'en prie, pardonne-moi.

Driss balaya du revers de la main les excuses de sa femme.

— C'est à ton vénérable père de te pardonner. Parce que moi, je ne veux plus entendre parler de toi.

— Mon père ne doit pas savoir.

— Il faut bien qu'il sache pourquoi je répudie sa fille adorée.

Si le ciel, avec ses foudres et ses tonnerres, s'était décroché à cet instant, il n'aurait pas électrocuté Sarah autant que la panique qui s'empara d'elle.

Driss sentit sa poitrine se remplir d'un souffle malsain. L'émoi effaré de sa femme réveilla en lui le même sentiment qu'il avait éprouvé le jour où le brigadier Roguî, qui tyrannisait son village natal, s'était tué dans un accident de voiture. C'était une sensation bizarre d'une rare violence, qui avait failli ruiner son âme autrefois et qu'il s'était promis de conjurer afin de ne plus avoir à la nourrir pour personne tellement il en eut honte. Et pourtant, en cette nuit de pleine lune qui aurait inspiré un contingent de poètes, dans cette chambre où il avait tant de fois déclaré sa flamme à la plus splendide des femmes, Driss ne chercha pas à s'opposer à ses djinns. Il savait que, dans un pays comme le sien, une absolution était toujours possible pour celui qui offense les saints et les prophètes mais pas pour celui par qui le scandale arrive. Sarah le savait aussi. Elle était prête à subir le plus atroce des martyres pour que Driss renonce au châtiment qu'il comptait lui infliger, mais Driss semblait déterminé à se venger.

— Je t'en supplie, épargne ma famille.

— Ton père doit connaître la fin de l'histoire.

— Non, fit-elle terrifiée.

— Si.

— Tu ne peux pas faire ça à ma mère qui t'aime comme son fils. Par pitié, laisse mon père en dehors de ça. Il n'en sortirait pas indemne.

— On n'a pas le choix. Tu dois lui expliquer pourquoi je te quitte. Parce que tout est de ta faute.

— Non, non, non, fit Sarah en reculant, les mains sur le visage, non, je refuse de briser deux honneurs à la fois.

— Alors, je serai dans l'obligation de tout lui dévoiler.

Sarah n'était plus qu'un pâle hologramme. Elle s'attendait à la vengeance de son mari, mais elle ne l'imaginait pas d'une telle cruauté. Ce qu'elle lut dans le regard de Driss l'anéantit. Elle comprit qu'il n'y avait plus rien à sauver.

Elle se dirigea sur le palier, en titubant, descendit l'escalier comme on descend aux enfers.

La porte claqua dans le vestibule. Driss fronça les sourcils. Pourquoi Sarah était-elle sortie dans la rue en robe de nuit? Soudain, il s'aperçut que le holster n'était plus sur la commode. Une sueur froide lui glaça le dos.

— Oh! non…

Il s'élança vers les escaliers. Le holster était sur une marche; le pistolet avait disparu.

— Sarah, cria-t-il de toutes ses forces, ne fais pas ça…

Une détonation éclata dans la rue, suivie d'un violent coup de freins.

— Non, non, non! hurla Driss en dévalant l'escalier.

Dehors, la nuit pesait sur la rue comme un cas de conscience. Un taxi s'était arrêté au milieu de la chaussée, les phares allumés. Des silhouettes accouraient aux fenêtres alentour.

Sarah gisait sur le trottoir, couchée sur le flanc, la main agrippée au pistolet de son mari.

Driss se prit la tête à deux mains et tomba à genoux.

*À suivre.*

La photocomposition de cet ouvrage
a été réalisée par
GRAPHIC HAINAUT
30, rue Pierre-Mathieu
59410 Anzin

**MARQUIS**

Québec, Canada

Imprimé au Canada